当代书法名家◎中国书法家协会草书专业委员会专辑

陈加林

海风出版社
HAIFENG PUBLISHING HOUSE

图书在版编目（CIP）数据

陈加林专辑/陈加林书.—福州:海风出版社，2008.11
（当代书法名家.中国书法家协会草书专业委员会专辑；16/胡国贤，李木教主编）
ISBN 978-7-80597-829-1

Ⅰ.陈… Ⅱ.陈… Ⅲ.草书—书法—作品集—中国—现代 Ⅳ.J292.28

中国版本图书馆CIP数据核字（2008）第177063号

当　代　书　法　名　家
中国书法家协会草书专业委员会专辑
陈加林 专辑

策　　划：焦红辉
主　　编：胡国贤　李木教
责任编辑：叶家佺　王伊陆　吴德才
装帧设计：王伊陆
责任印制：傅　强　吴尚联

出版发行：海风出版社
(福州市鼓东路187号　邮编:350001)
出 版 人：焦红辉
印　　刷：福州青盟印刷有限公司
开　　本：889×1194毫米　1/16
印　　张：4印张
版　　次：2008年11月 第1版
印　　次：2009年3月 第1次印刷
书　　号：ISBN 978-7-80597-829-1/J · 177
定　　价：798.00元 (全套21册)

陈加林 笔名，林零、子牛，1962年生于贵州安顺，汉族，大学文化，中共党员，现为中国书法家协会理事，中国书法家协会草书委员会委员，贵州省书法家协会驻会副主席兼秘书长，贵州省文联委员，贵州民族学院特聘教授，贵州国际文化交流中心理事。

作品多次在国际国内重大展览获奖展出，作品入展三、六、八届全国展和三、六、八届全国中青展并有多件作品获奖，著有《陈加林书法作品集》，出版《中国书法大典》（当代名家系列作品集·陈加林卷）。

主要艺术简历

1985年 入展郑州『国际书法大展』并入选《国际书法作品精选集》、入选《中国现代书法作品集》（第三集）（河北）。

1987年 入展『国际临书大展』（开封）。

1989年 入展『中国新书法大展』（桂林）、获湖南『中意杯』国际书法大赛铜奖。

1996年 入选《二十世纪书画名家作品精选》。

1997年 获曼谷『国际现代名家水墨金奖』。

2000年 入展南京『第六届中国艺术节国际书法大展』、入展『中国近现代书画名家展』（北京）。

2001年 获第一届贵州人民政府文艺奖一等奖。

2003年 入展首届中国敦煌国际书法艺术节全国书画名家作品邀请展（甘肃）、参加『中日和平与进步』际交流笔会（安吉）、作品入选《巨匠之光》书法集、作品入选中国临沂书圣文化节纪念王羲之诞辰1700周年『书圣故乡国际书画名家邀请展作品集』。入选『中国文艺家万里采风贵州行书画作品集』。篆刻作品入选中国、日本（贵阳-大阪）《篆刻作品集》及展览、被省文联评为『德艺双馨』艺术家。

2004年 作品入选『全国百名书法名家作品集』。入展当代（60年代杰出书法家精品展）并入选作品集。

2005年 作品被『中国书画』（第八期）杂志刊登。

2007年 作品两件（古诗）被中国美术馆收藏。

2007年 入选『首届中国书坛兰亭雅集42人展』。

2007年 入展『中国美术馆第二届当代名家书法提名展』。

2008年 荣获『兰亭诸子』奖(书法报海选)。入展第十九届中日友好自作诗书展。出版《中国书法大典》（当代名家系列作品集·陈加林卷）第八届国际书法交流大展传略及作品被多部辞书收入，数件作品被碑林勒石、博物馆、纪念馆收藏。有多件作品在全国一些展赛上获奖及报刊登载，多幅作品被加拿大、美国、法国、日本等外国友人收藏。

序

两个多月前，经李木教委员搭桥，由海风出版社出版《当代书法名家》丛书，第一辑为中国书法家协会草书专业委员会专辑，每个委员一卷，既能反映每位书家个人的艺术风采，又能体现草书委员会的整体实力、整体风貌，还能彰显当代草书创作的一些境况和情势，一举多得，令人兴奋。

草书专业委员会成立于2006年，是中国书法家协会下设的几个专业委员会之一，职责是专事草书方面的研究、创作等。共有委员二十一人（原二十二人，副主任周永健先生今年五月因病故去）。年龄最大者六十几岁，最小者三十几岁，都是活跃在当今书坛的实力派书家。

这二十位书家，每个人都在草书上卓有建树，功力既深，格调亦高，个性风格鲜明而强烈。他们都以传统为师，在传统中孜孜以求，精益求精。并在此基础上，广涉博取，锐意开拓，大胆突破，开辟新境界。因而他们的作品无论气象还是内涵上，都很耐人寻味，颇富艺术感染力。

海风出版社将这么多书家和他们的作品结集出版，诚是一着高棋，定会令人一饱眼福，并从中获得一些有益的启示。

本人作为草书委员会的一员，能和诸书友一道共同参与这个盛事，深感荣幸。借本书出版之际，谨向海风出版社表示诚挚的谢意。希望本书能受到欢迎。也诚望能得到批评指正，以期有更大的长进，不辜负书友和同道们的厚望。

聂成文

二○○八年八月八日

目录

作品

狂来轻世界
醉里得真如

諸天智利樂而遊

遊佛國一家長經勿

並綬貞禅内外宗親

同增福被結為去

白謹跪解夏難月用

伏以桂節

柴枚青貞堅貞之操

芳花嫩松頹後雨露

临古人写经书

立功切汉弟子難日

将脱須憑福善之

因冷則特抽師被

之衣物親詣道

官希眾作念刪誦

之條息謹子母步去

伏題語

始終書口日午

陸力来

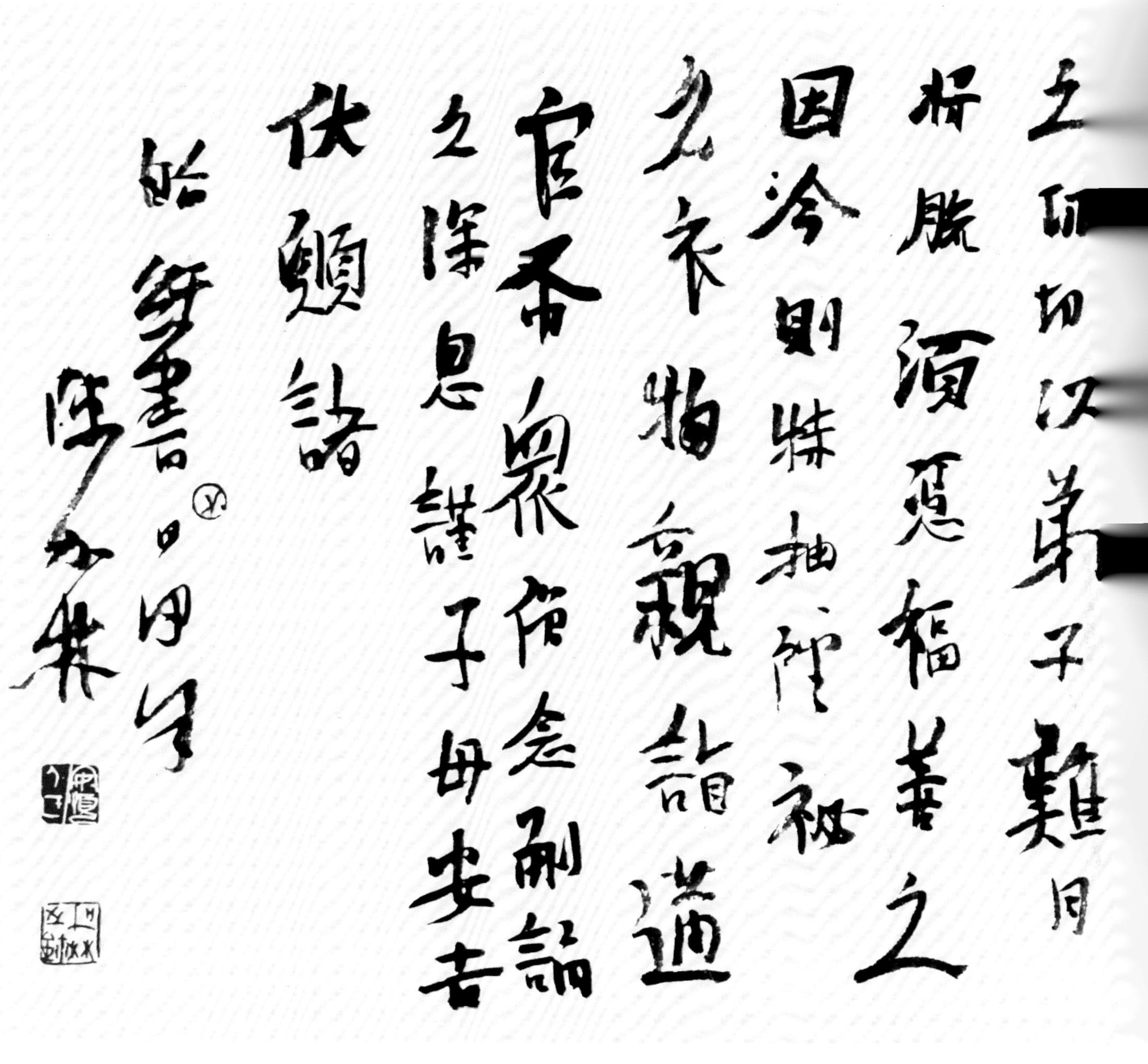

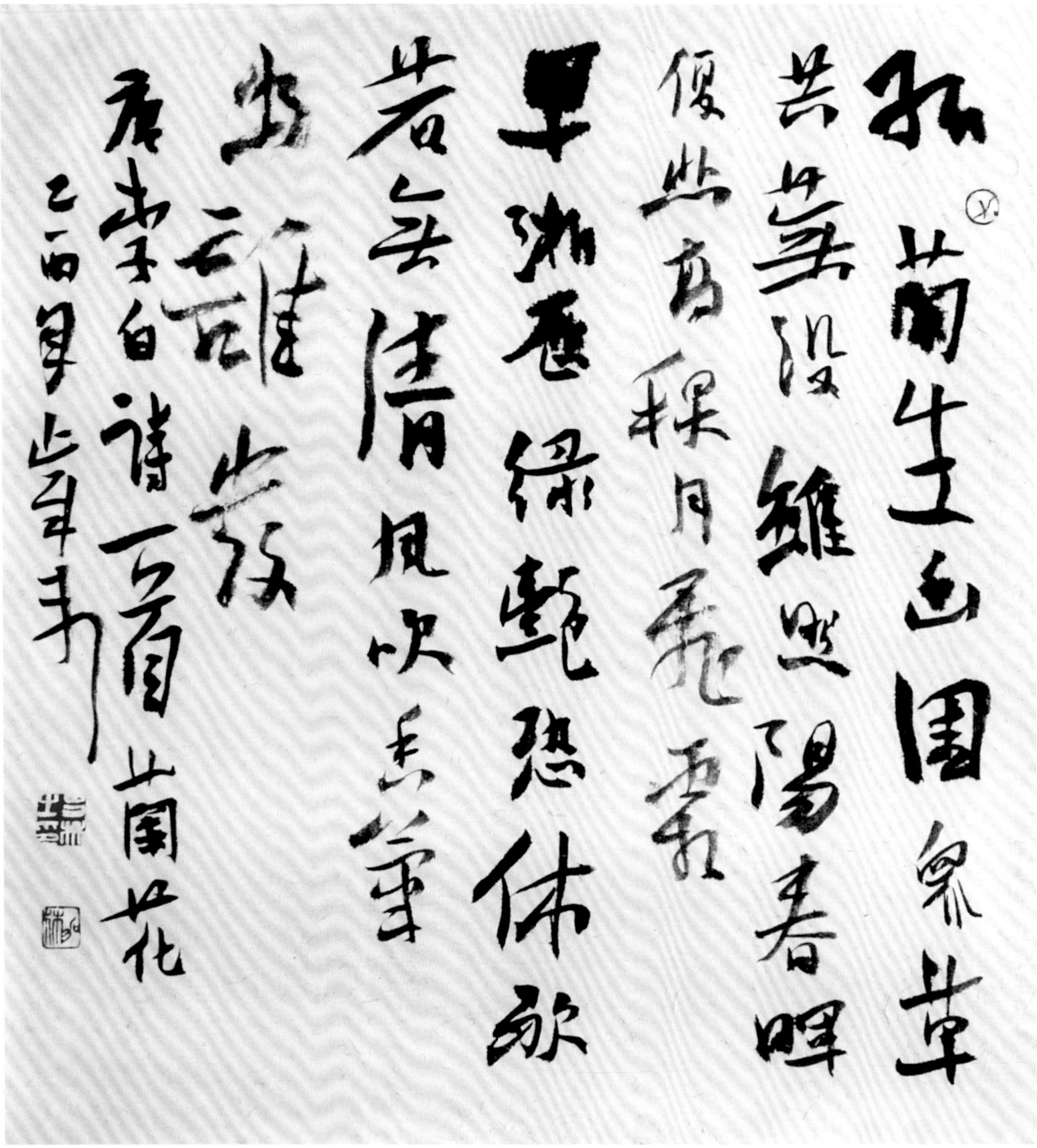

孤兰生幽园，众草共芜没。虽照阳春晖，复悲高秋月。
飞霜早淅沥，绿艳恐休歇。若无清风吹，香气为谁发？

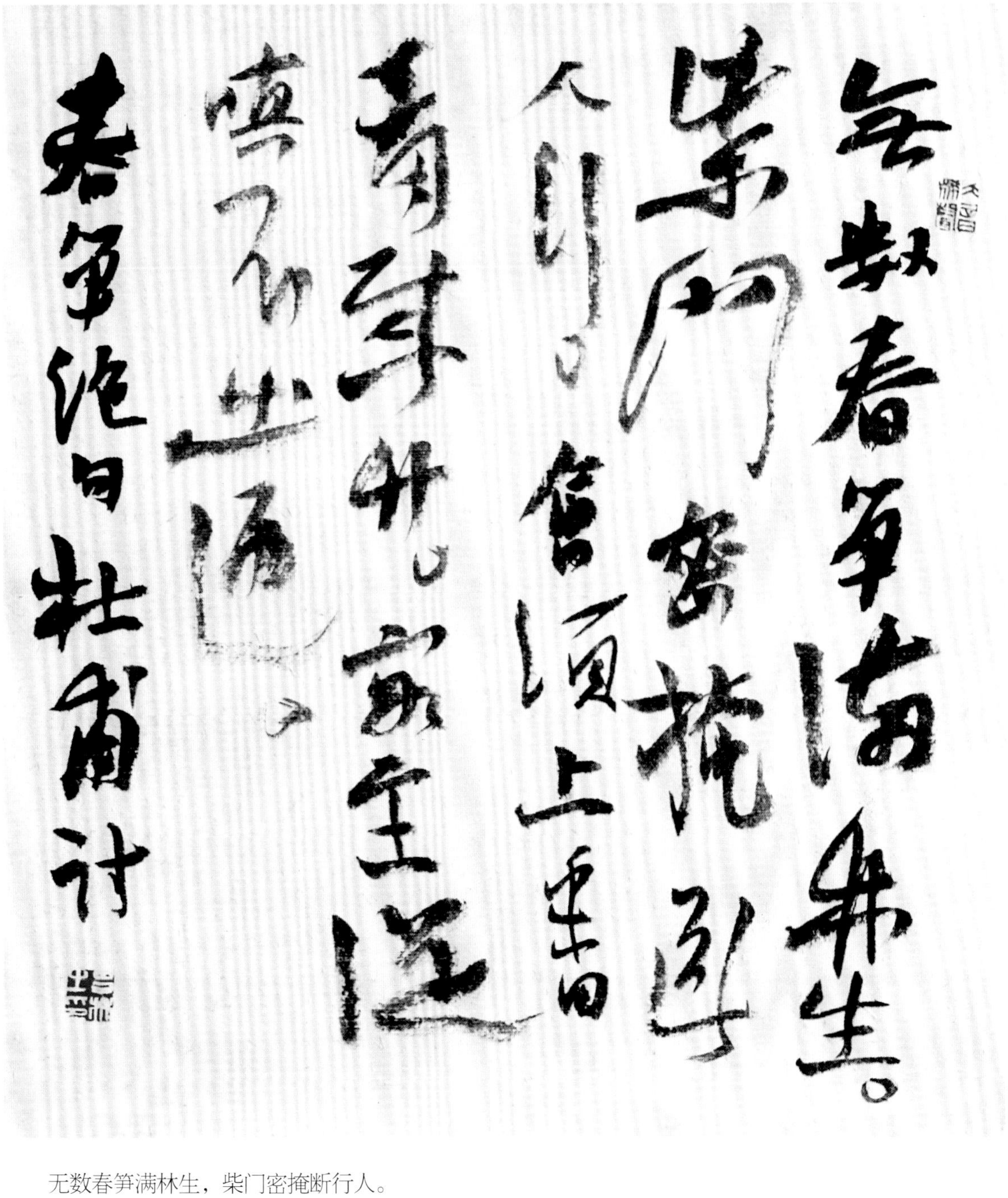

无数春笋满林生，柴门密掩断行人。
会须上番看成竹，客至从嗔不出迎。

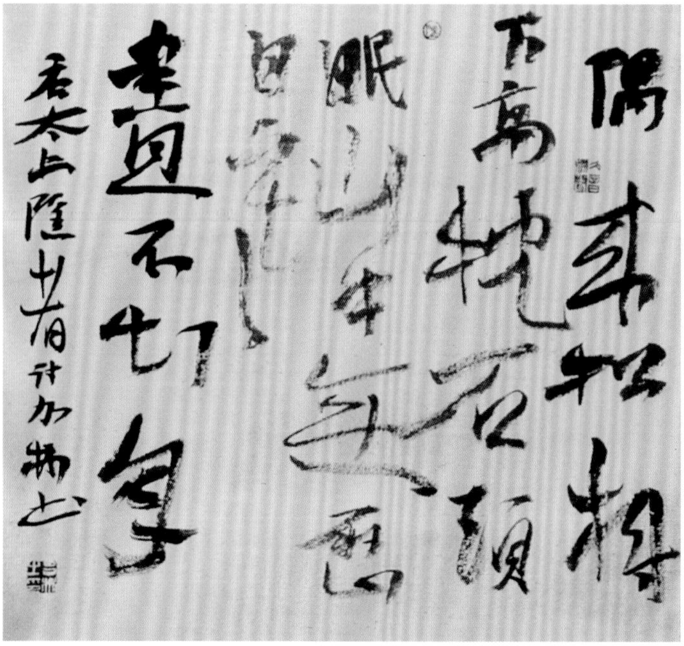

偶来松树下，高枕石头眠。山中无历日，寒尽不知年。

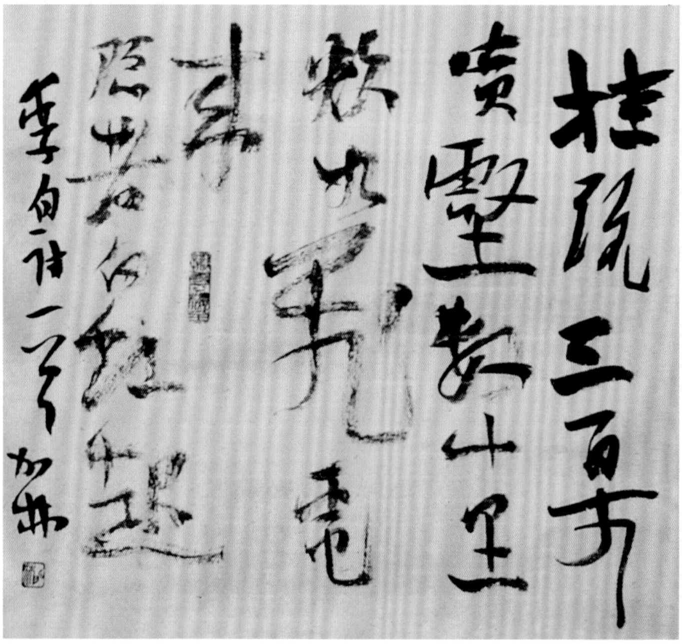

挂流三百丈，喷壑数十里。欻如飞电来，隐若白虹起。

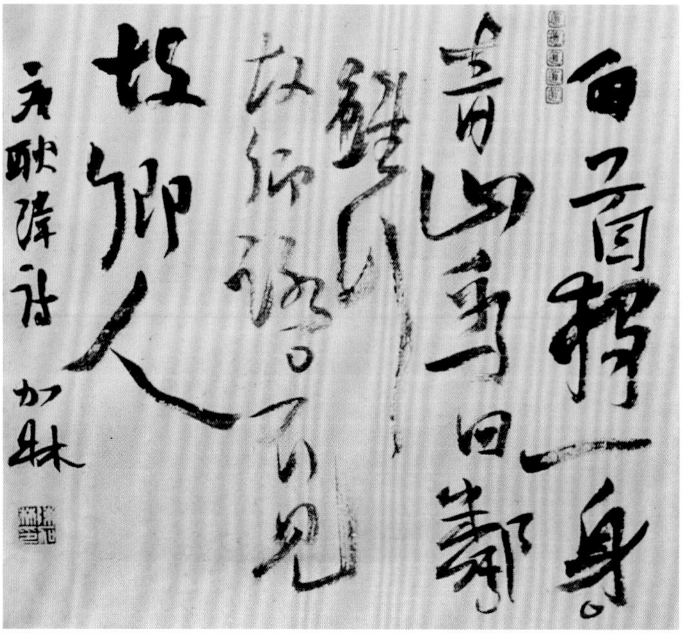

白首独一身，青山为四邻。虽行故乡路，不见故乡人。

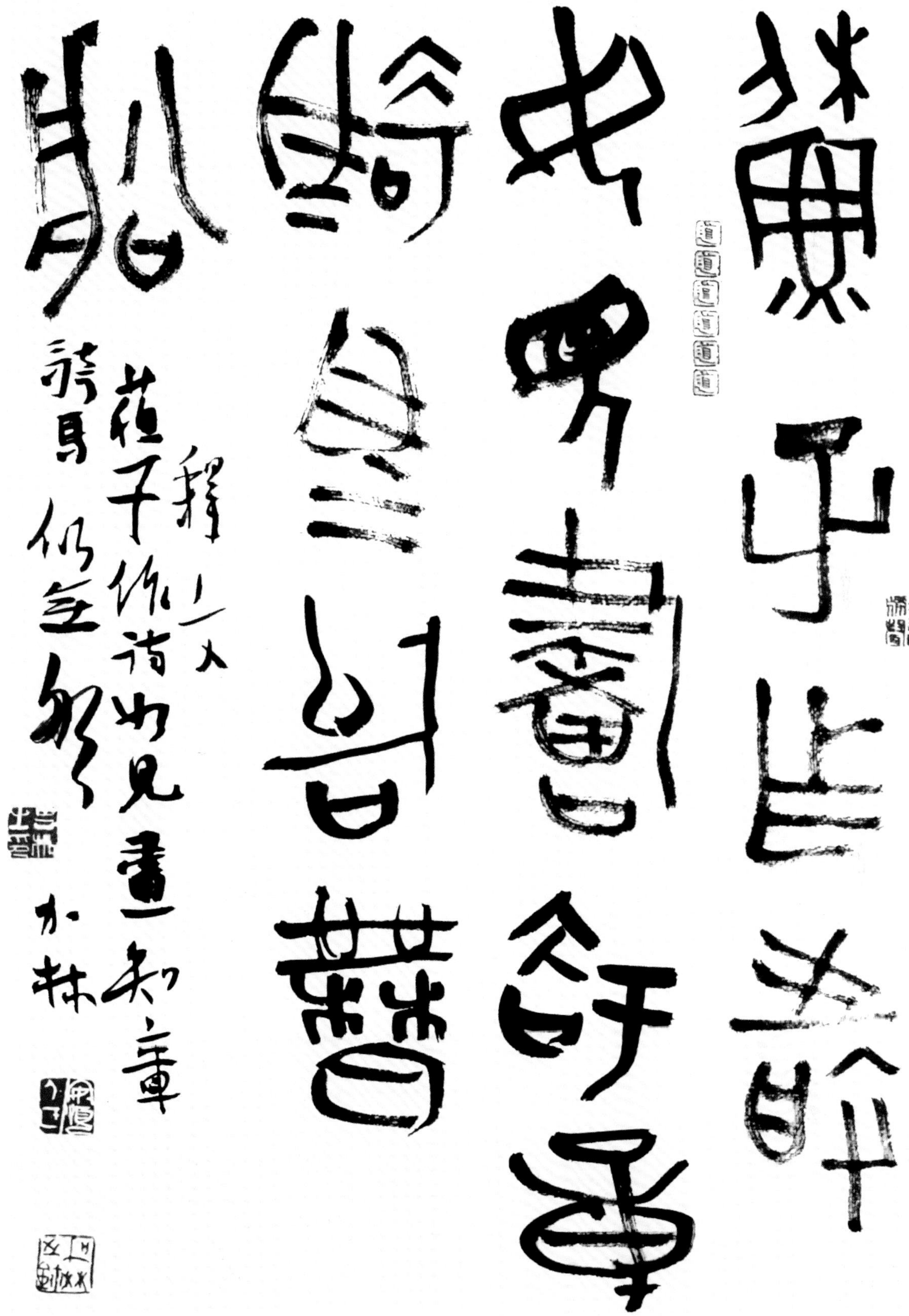

苏子作诗如见画
知章骑马似无船

有美堂暴雨

遊人腳底一聲雷，滿座頑雲撥不開。天外黑風吹海立，浙東飛雨過江來。十分瀲灩金樽凸，千杖敲鏗羯鼓催。喚起謫仙泉灑面，倒傾鮫室瀉瓊瑰。

初到黃州

自笑平生為口忙，老來事業轉荒唐。長江繞郭知魚美，好竹連山覺筍香。逐客不妨員外置，詩人例作水曹郎。

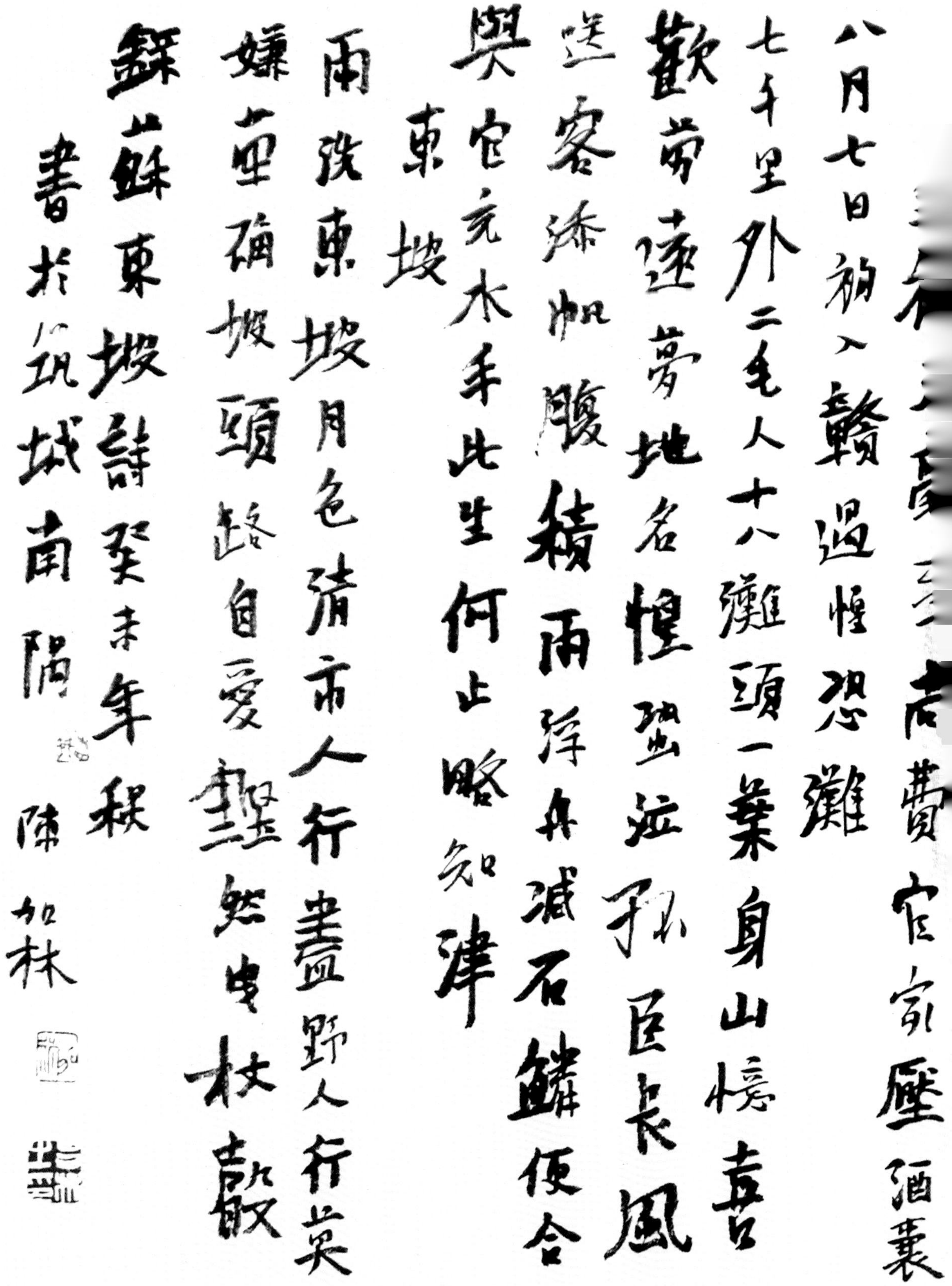

游人脚底一声雷，满座顽云拨不开。天外黑风吹海立，浙东飞雨过江来。十分潋滟金尊凸，千杖敲铿羯鼓催。唤起谪仙泉洒面，倒倾鲛室泻琼瑰。自笑平生为口忙，老来事业转荒唐。长江绕郭知鱼美，好竹连山觉笋香。逐客不妨员外置，诗人例作水曹郎。只惭无补丝毫事，尚费官家压酒囊。七千里外二毛人，十八滩头一叶身。山忆喜欢劳远梦，地名惶恐泣孤臣。长风送客添帆腹，积雨浮舟减石鳞。便合与官充水手，此生何止略知津！雨洗东坡月色清，市人行尽野人行。莫嫌荦确坡头路，自爱铿然曳杖声。

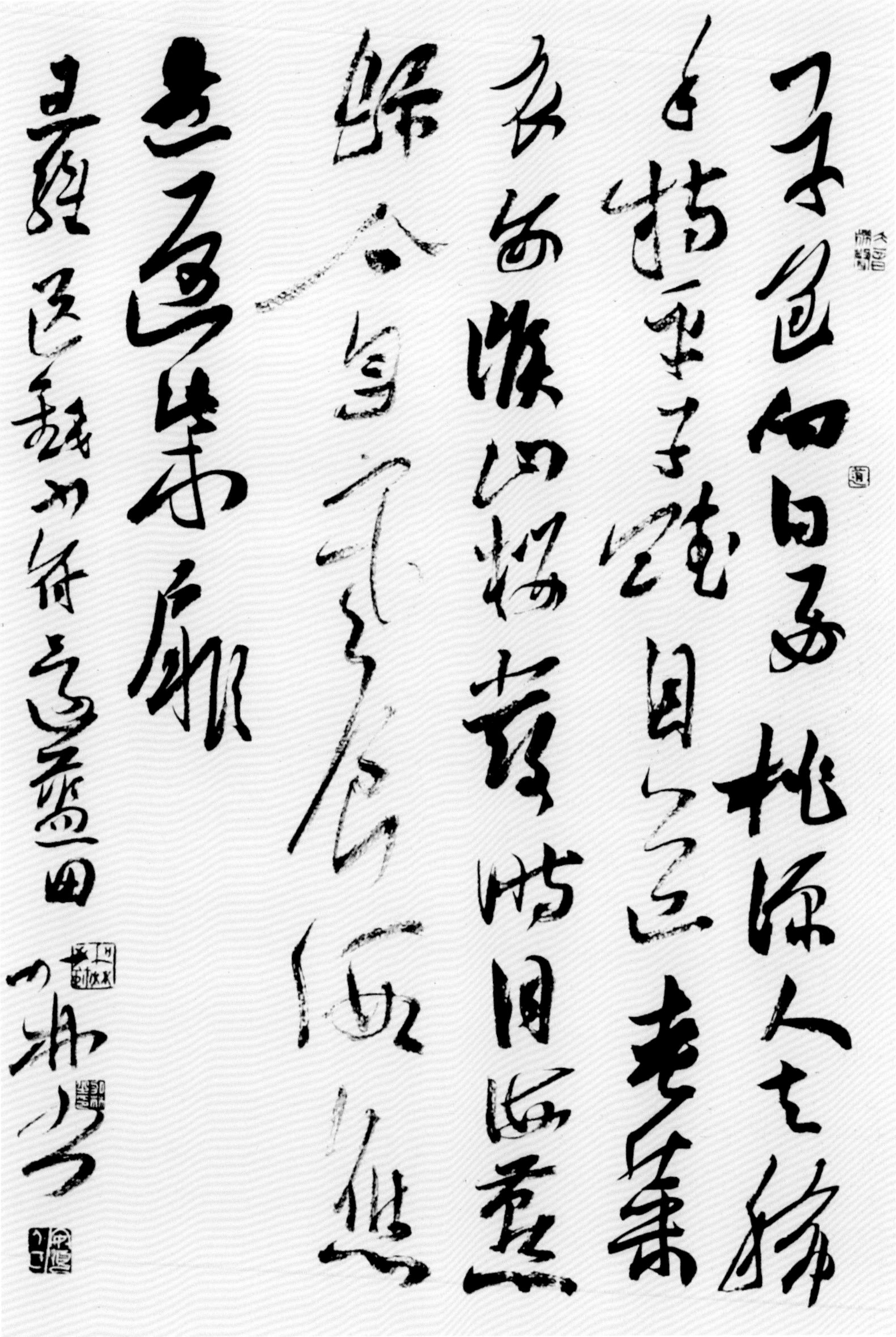

草色向日好，桃源人去稀。
手持平子赋，目送老莱衣。
每候山樱发，时同海燕归。
今年寒食酒，应是返柴扉。

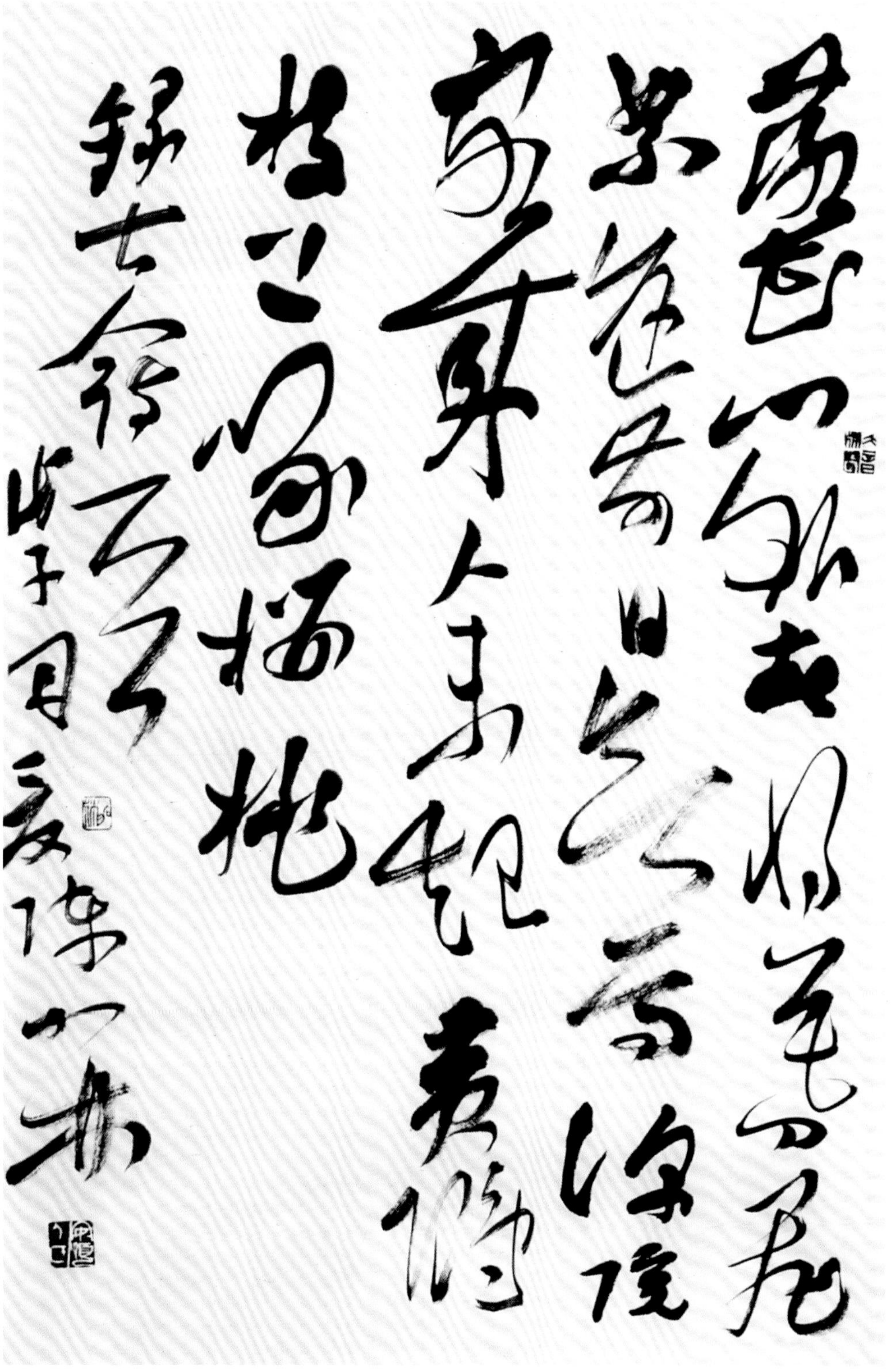

落花门外春将暮，飞絮庭前日欲高。
深院客来人未起，黄鹂枝上啄樱桃。

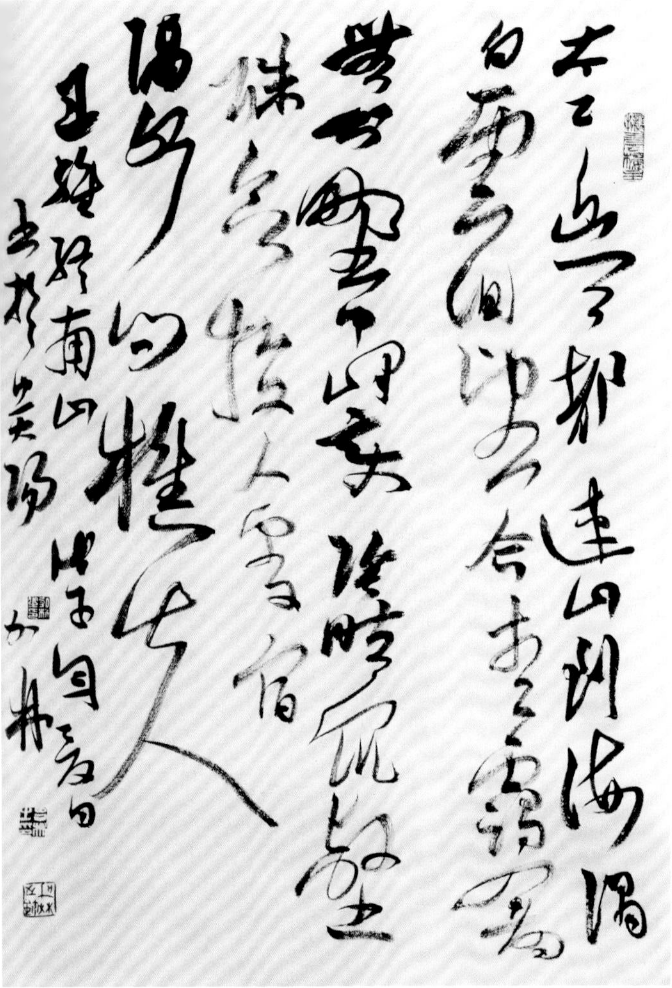

太乙近天都，连山接海隅。
白云回望合，青霭入看无。
分野中峰变，阴晴众壑殊。
欲投人处宿，隔水问樵夫。

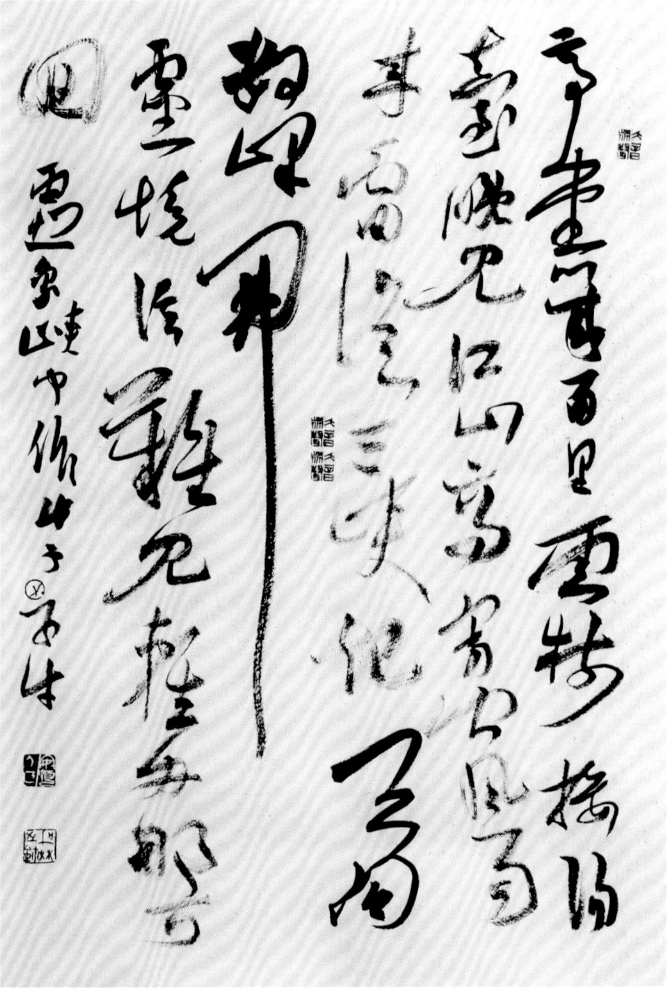

高唐几百里，云树接阳台。
晚见江山霁，宵闻风雨来。
雷从三峡起，天向数峰开。
灵境信难见，轻舟那可回。

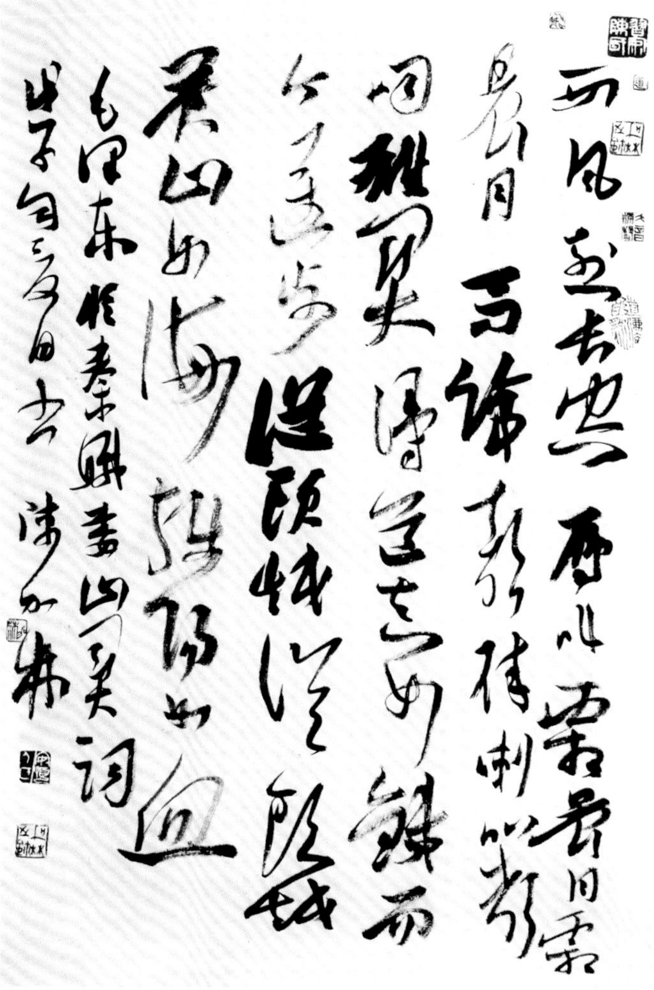

西风烈，长空雁叫霜晨月。霜晨月，马蹄声碎，喇叭声咽。雄关漫道真如铁，而今迈步从头越。从头越，苍山如海，残阳如血。

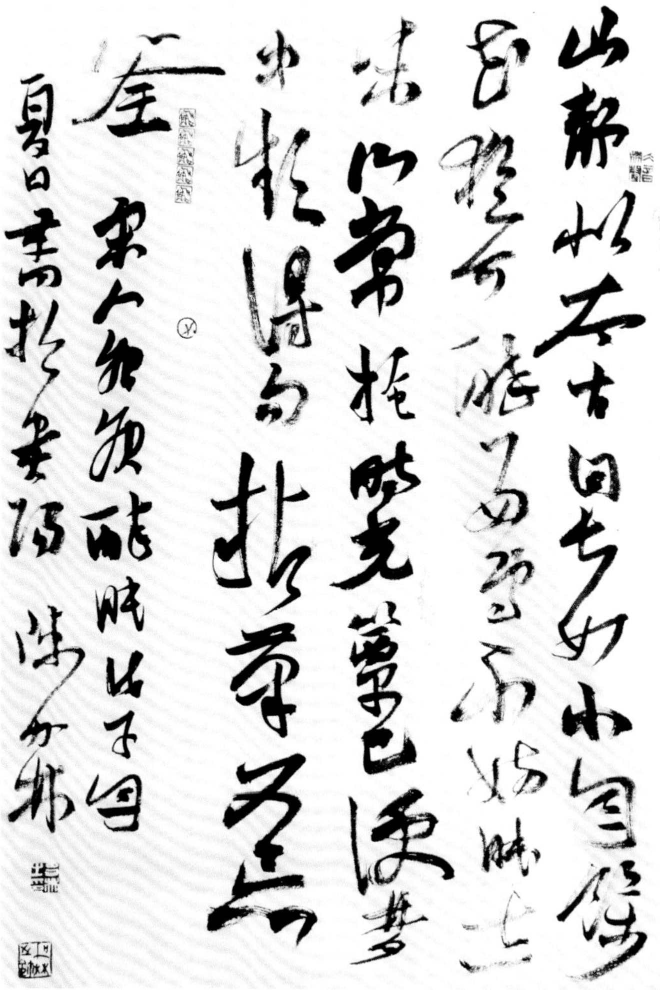

山静似太古，日长如小年。
余花犹可醉，好鸟不妨眠。
世味门常掩，时光簟已便。
梦中频得句，拈笔又忘筌。

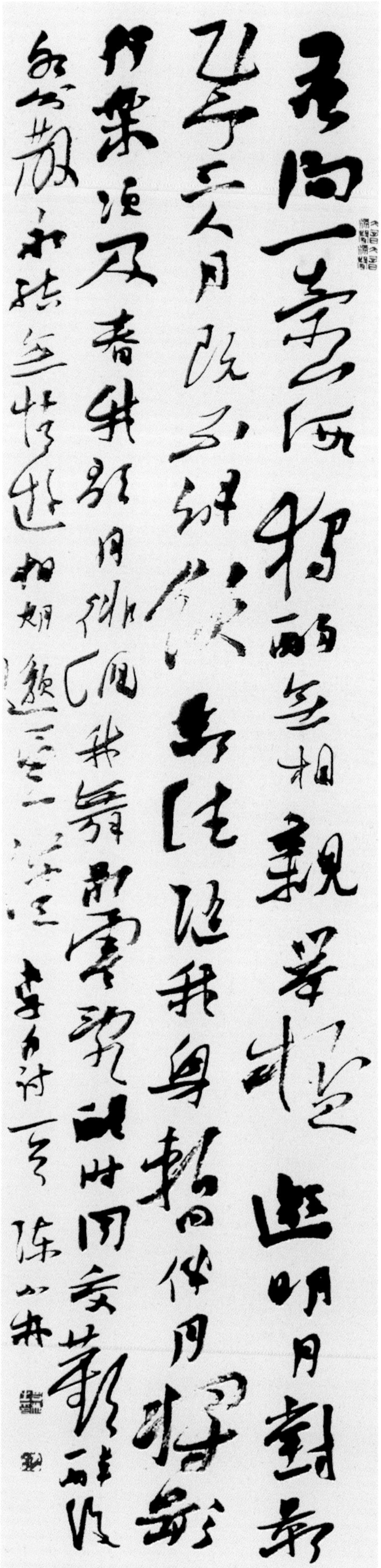

花间一壶酒，独酌无相亲。举杯邀明月，
对影成三人。月既不解饮，影徒随我身。
暂伴月将影，行乐须及春。我歌月徘徊，
我舞影零乱。醒时同交欢，醉后各分散。
永结无情游，相期邈云汉。

雅量洽春风
高怀同霁月

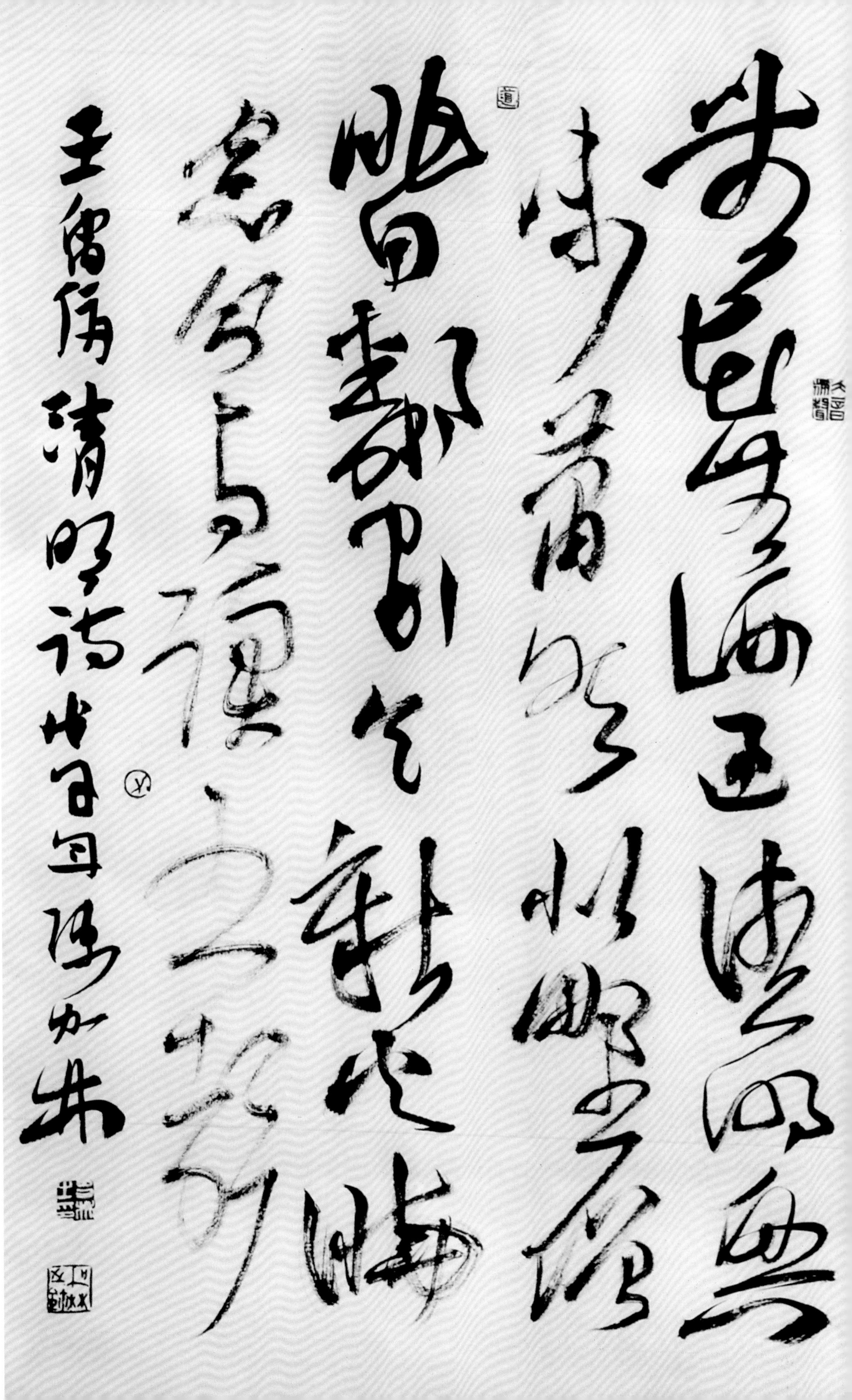

无花无酒过清明，兴味萧然似野僧。
昨日邻家乞新火，晓窗分与读书声。

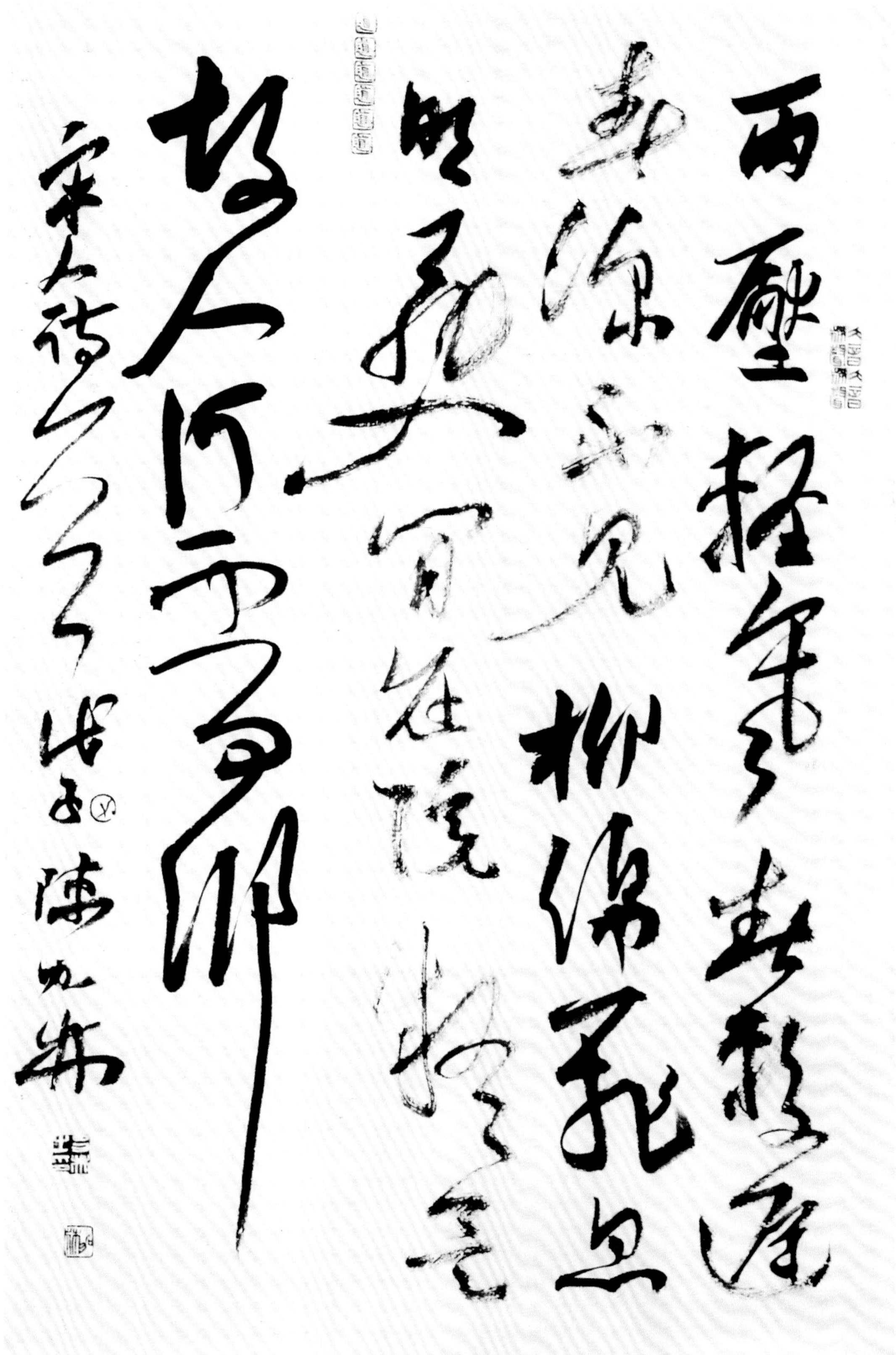

雨压轻寒春较迟，春深不见柳绵飞。
忽然飞入闲庭院，疑是故人何处归。

一輪秋影轉金波飛鏡又重磨
把酒問姮娥被白髮欺人奈何
乘風好去長空萬里直下看山河
斫去桂婆娑人道是清光更多
宋辛棄疾太常引
明月別枝驚鵲清風半夜鳴蟬稻

一轮秋影转金波，飞镜又重磨。把酒问姮娥：被白发欺人奈何？乘风好去，长空万里，直下看山河。斫去桂婆娑，人道是清光更多。

明月别枝惊鹊，清风半夜鸣蝉。稻花香里说丰年，听取蛙声一片。七八个星天外，两三点雨山前。旧时茅店社林边，路转溪桥忽见。

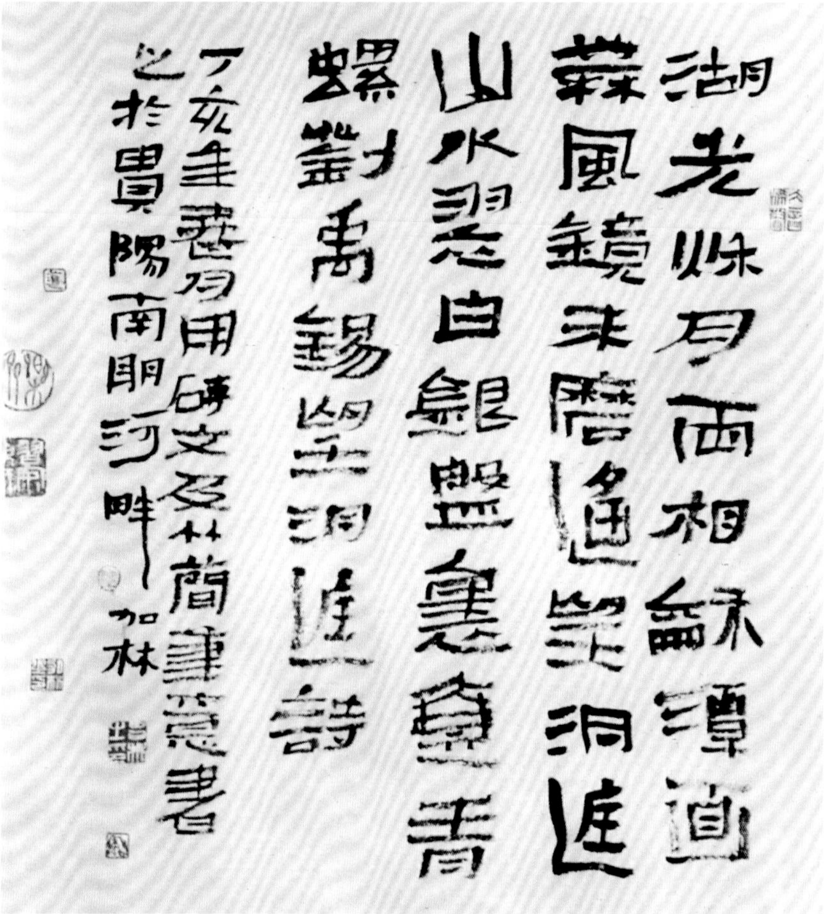

湖光秋月两相知，潭面无风镜未磨。
遥望洞庭山水翠，白银盘里一青螺。

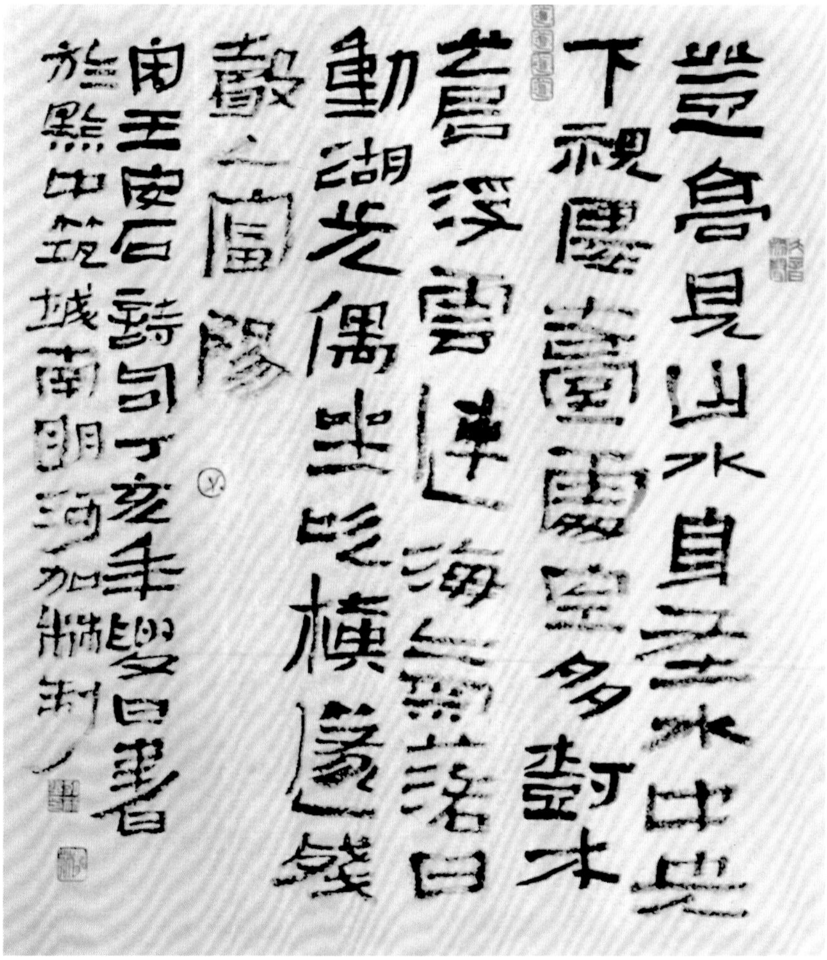

登高见山水，身在水中央。
下视楼台处，空多树木苍。
浮云连海气，落日动湖光。
偶坐吹横笛，残声入富阳。

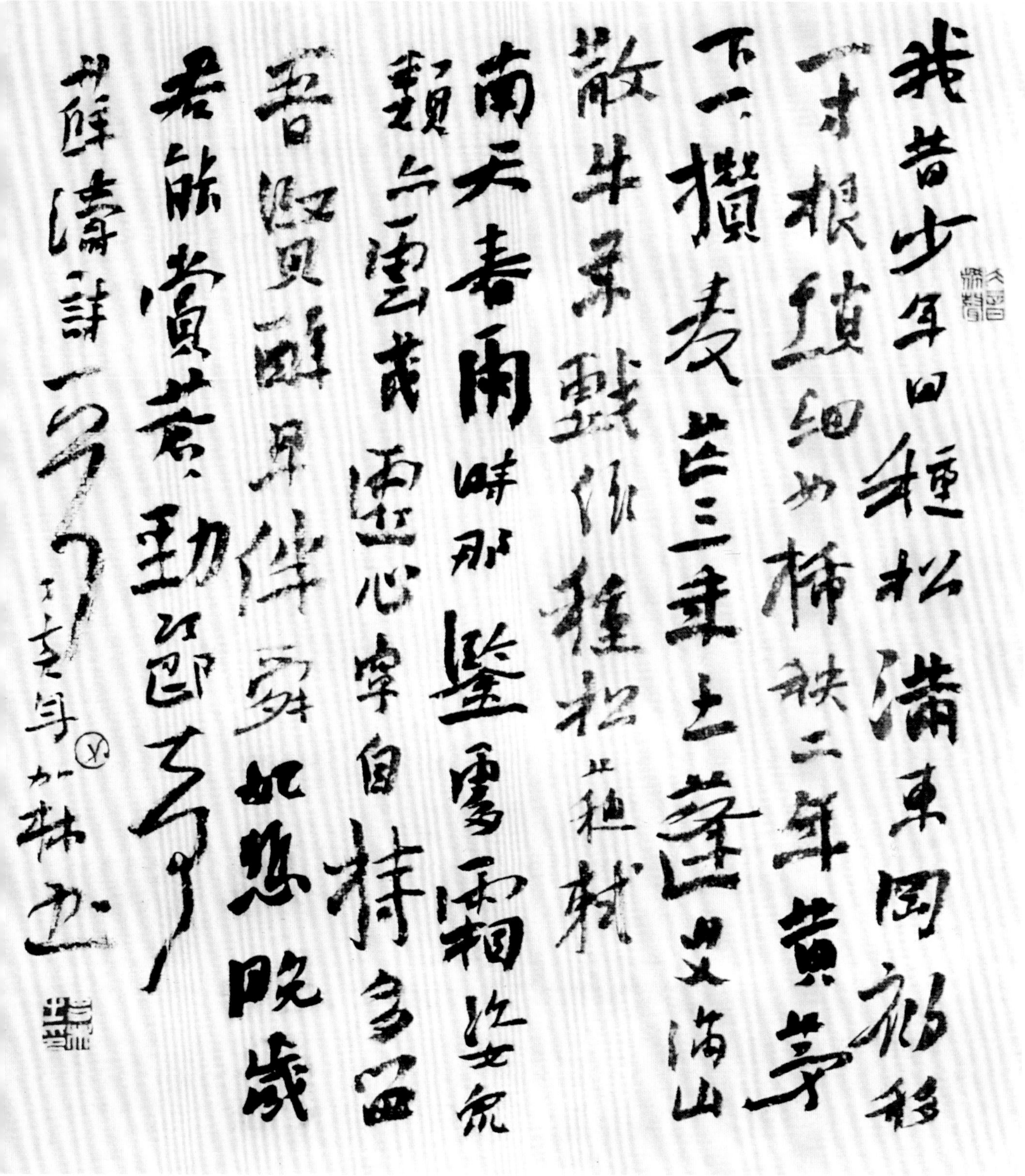

我昔少年回，种松满东冈。初移一寸根，琐细如插秧。
二年黄茅下，一一攒麦芒。三年出蓬艾，满山散牛羊。
南天春雨时，那鉴雪霜姿。众类亦云茂，虚心宁自持。
多留晋贤醉，早伴舜妃悲。晚岁君能赏，苍苍劲节奇。

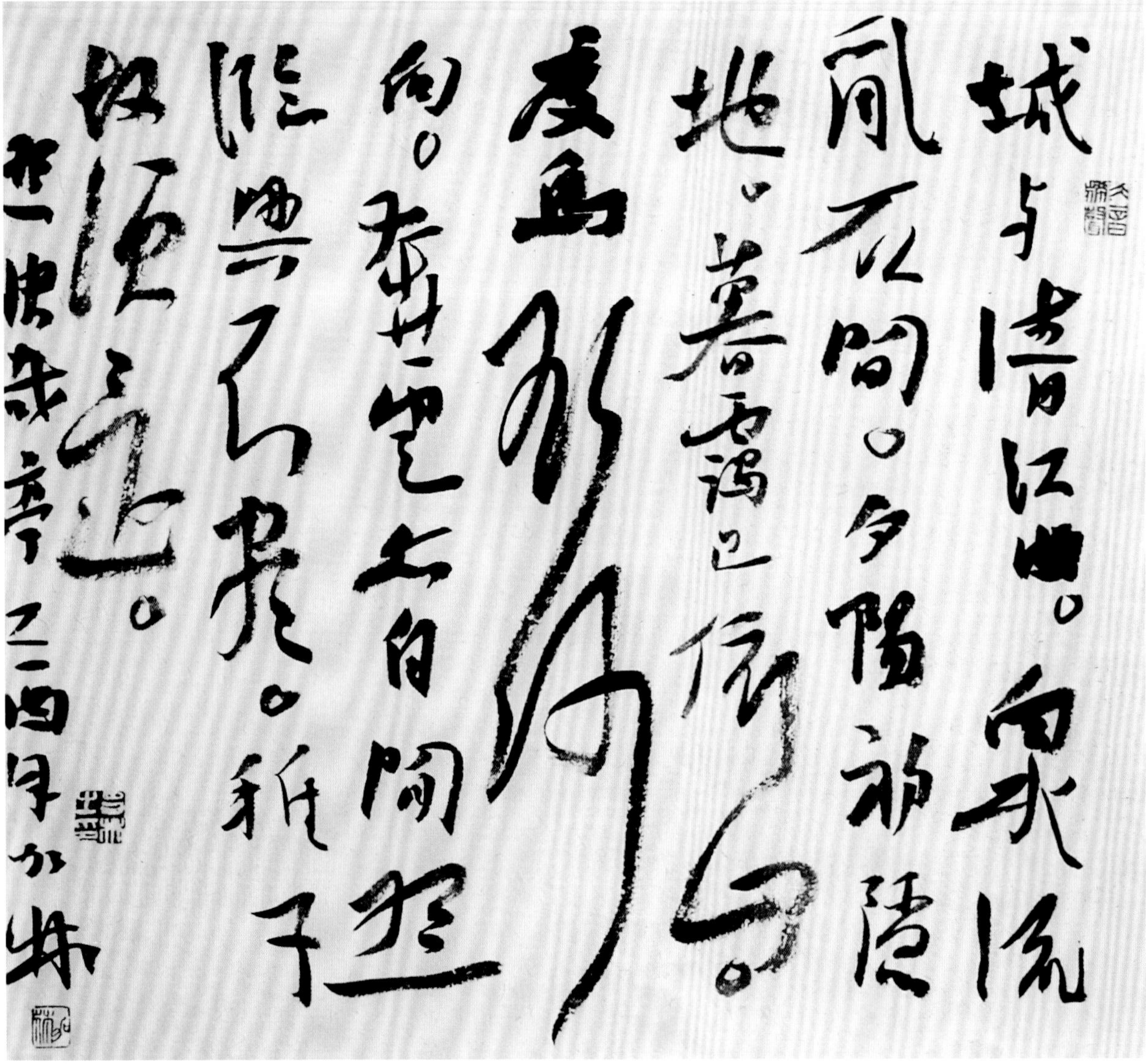

城与清江曲，泉流乱石间。
夕阳初隐地，暮霭已依山。

度鸟欲何向？奔云亦自闲。
登临兴不尽，稚子故须还。

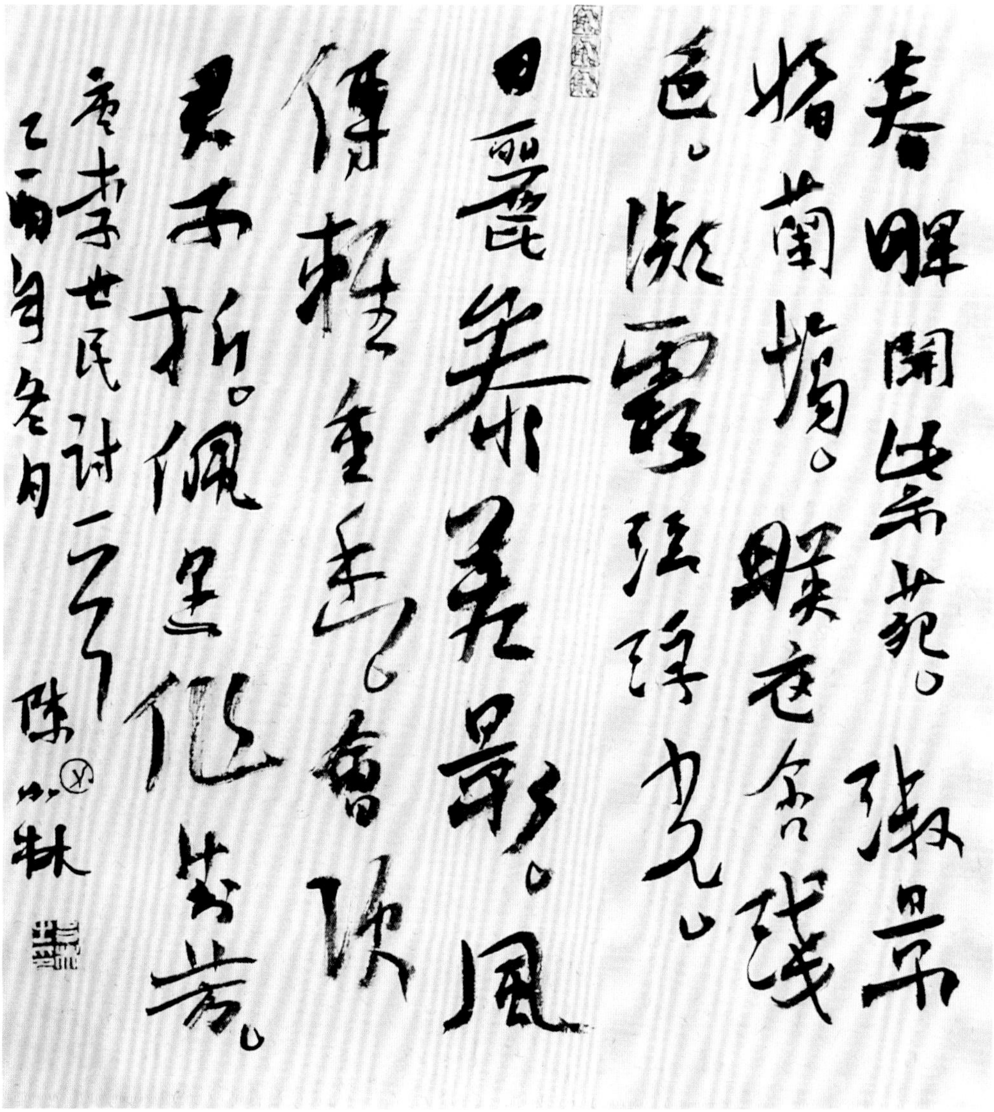

春晖开紫苑，淑景媚兰场。
映庭含浅色，凝露泫浮光。
日丽参差影，风传轻重香。
会须君子折，佩里作芬芳。

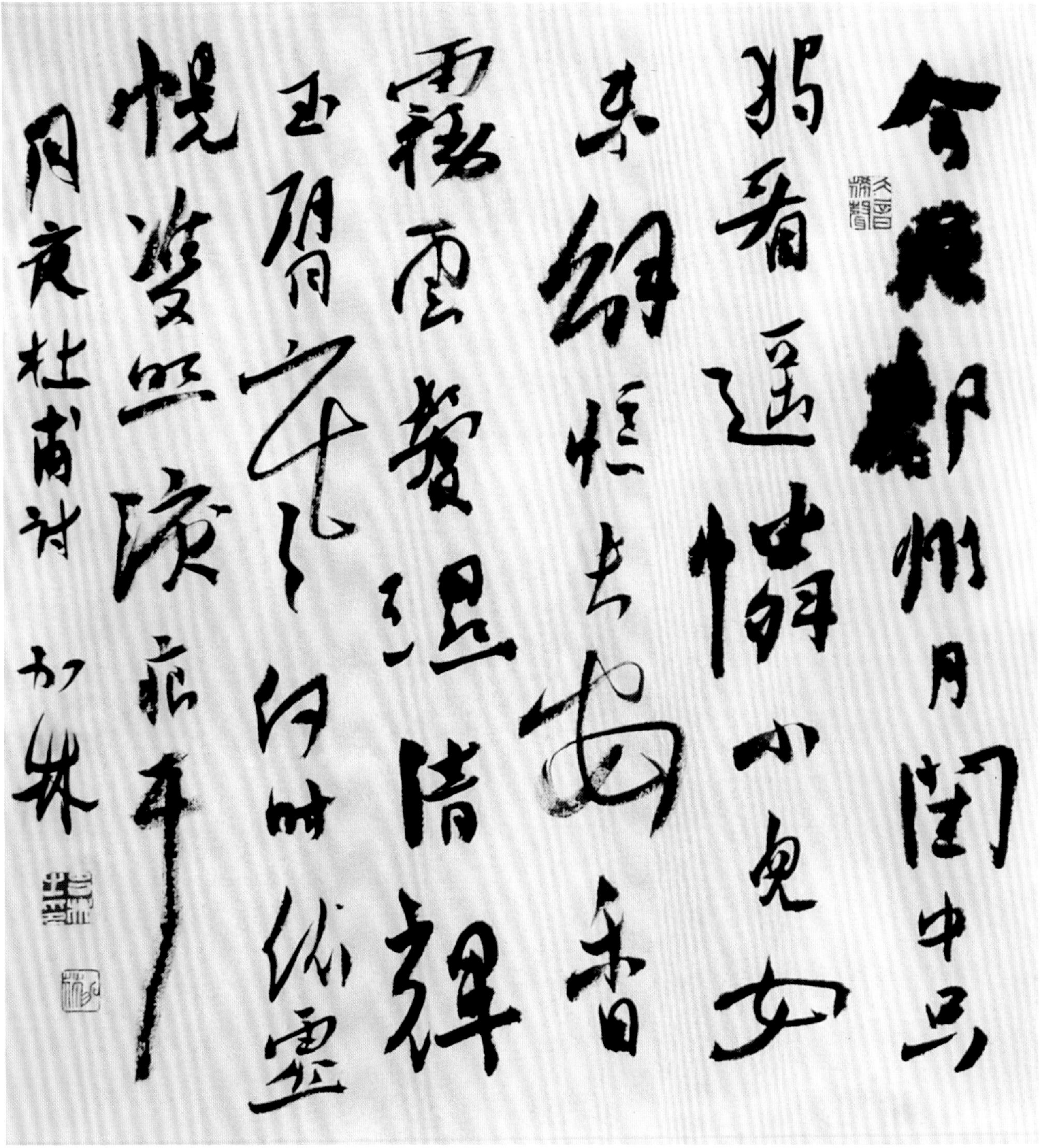

今夜鄜州月，闺中只独看。
遥怜小儿女，未解忆长安。
香雾云鬟湿，清辉玉臂寒。
何时依虚幌，双照泪痕干。

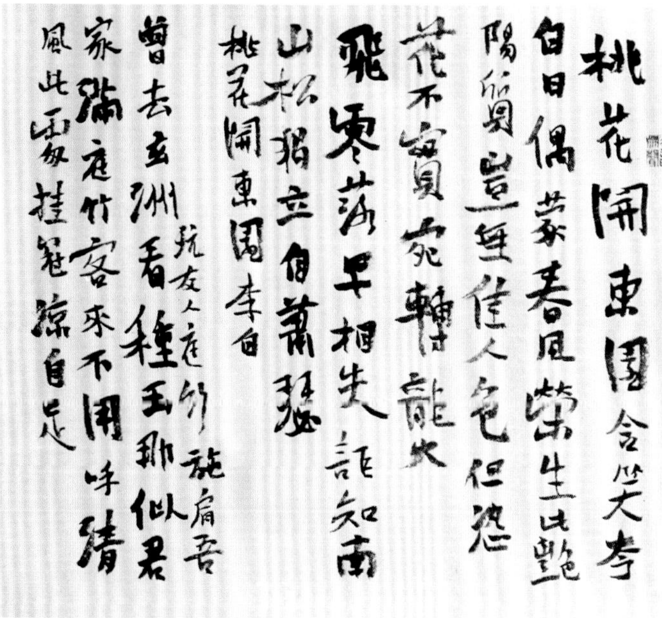

桃花开东园，含笑夸白日。偶蒙东风
荣，生此艳阳质。岂无佳人色，但恐
花不实。宛转龙火飞，零落早相失。
讵知南山松，独立自萧瑟。
曾去玄洲看种玉，那似君家满庭竹。
客来不用呼清风，此处挂冠凉自足。

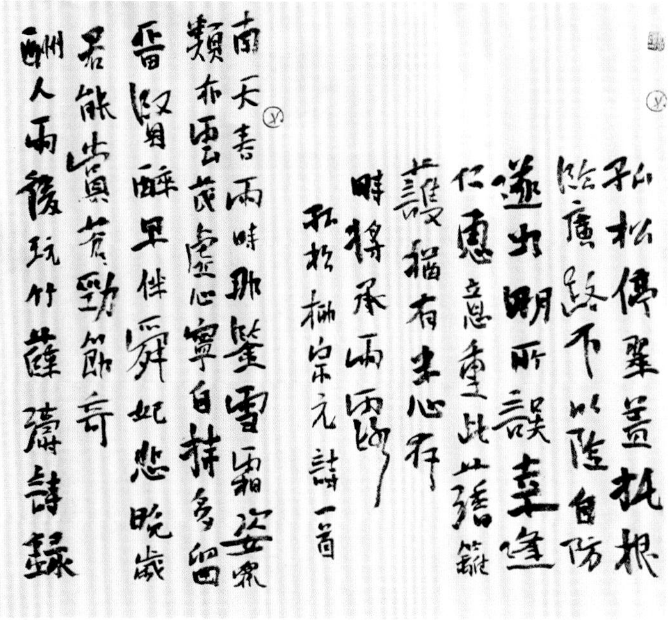

孤松停翠盖，托根临广路。不以险自防，
遂为明所误。幸逢仁惠意，重此藩篱护。
犹有半心存，时将承雨露。
南天春雨时，那鉴雪霜姿。众类亦云茂，
虚心宁自持。多留晋贤醉，早伴舜妃悲。
晚岁君能赏，苍苍劲节奇。

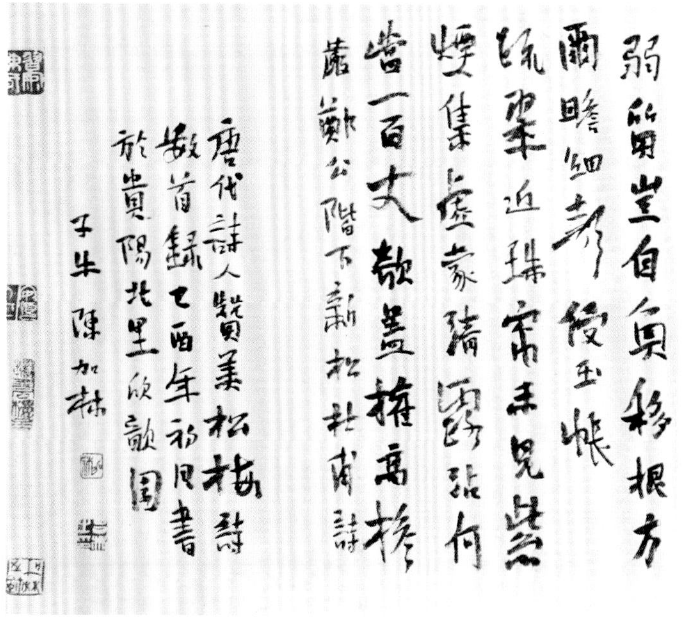

弱枝岂自负，移根方尔瞻。细声侵玉帐，
疏翠近珠帘。未件紫烟集，虚蒙清露沾。
何当一百长，敧盖拥高檐。

忆年十五心尚孩，健如黄犊走复来。
庭前八月梨枣熟，一日上树能千回。

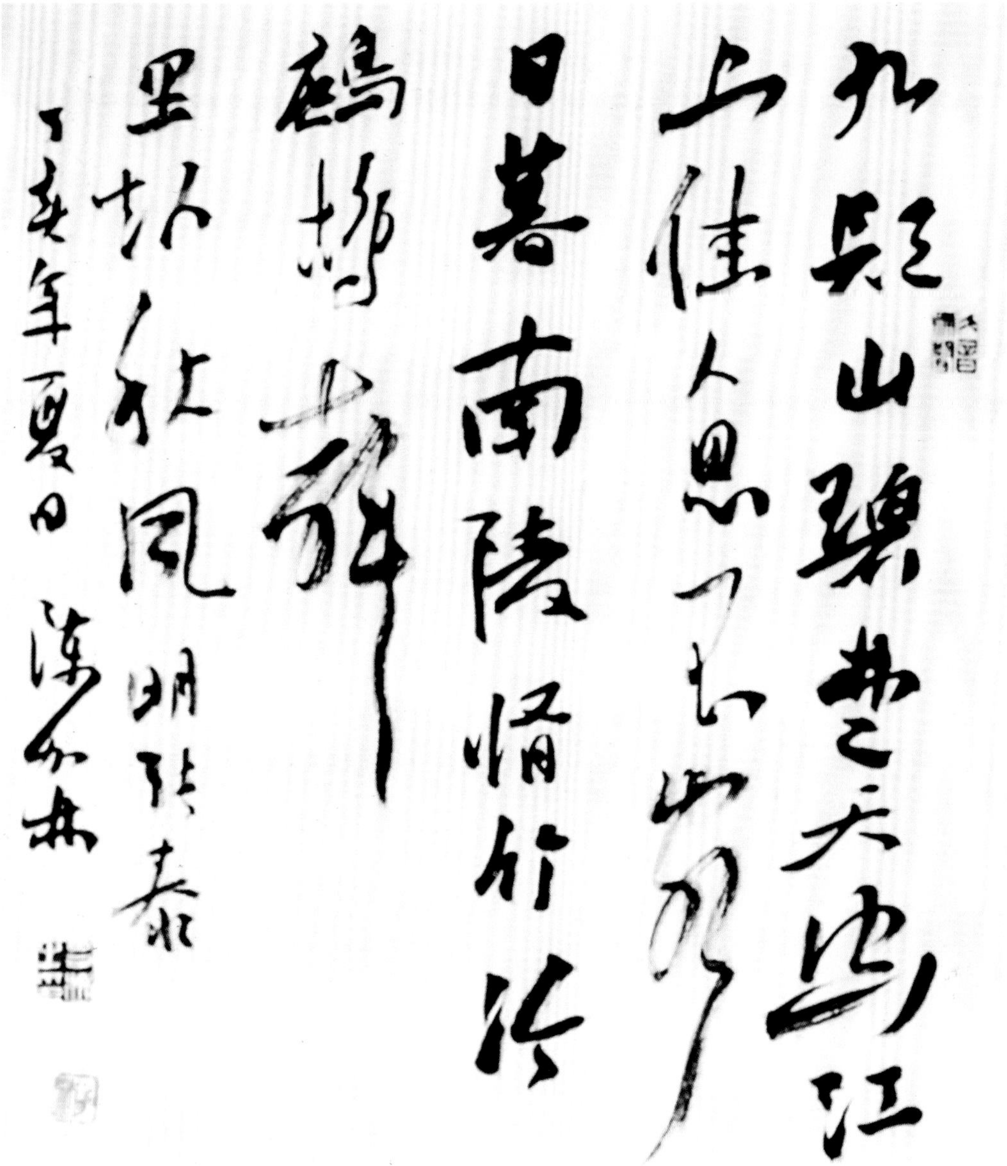

九疑山碧楚天空，江上佳人思不穷。
日暮南陵修竹冷，鹧鸪声里起秋风。

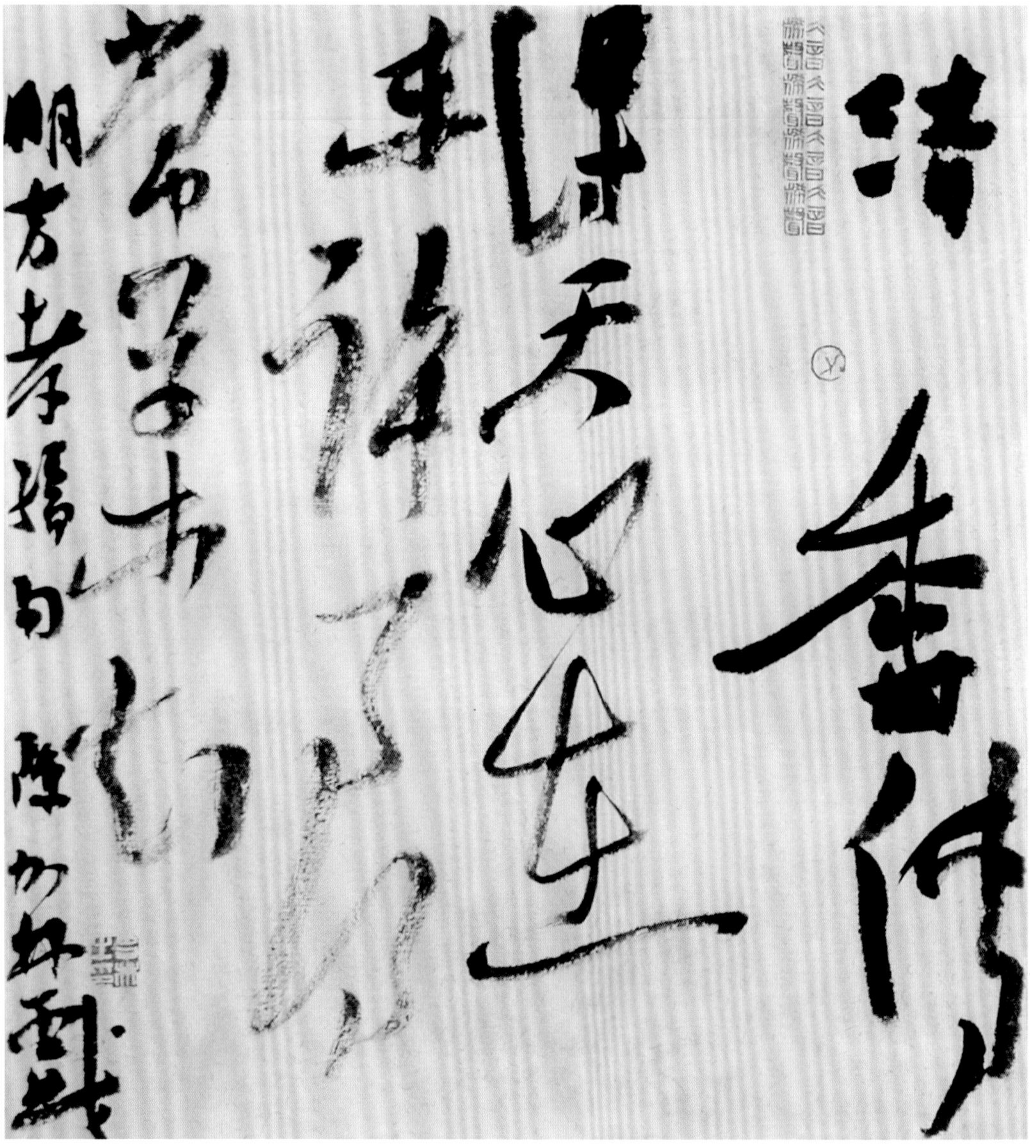

清香传得天心在
未许寻常草木知

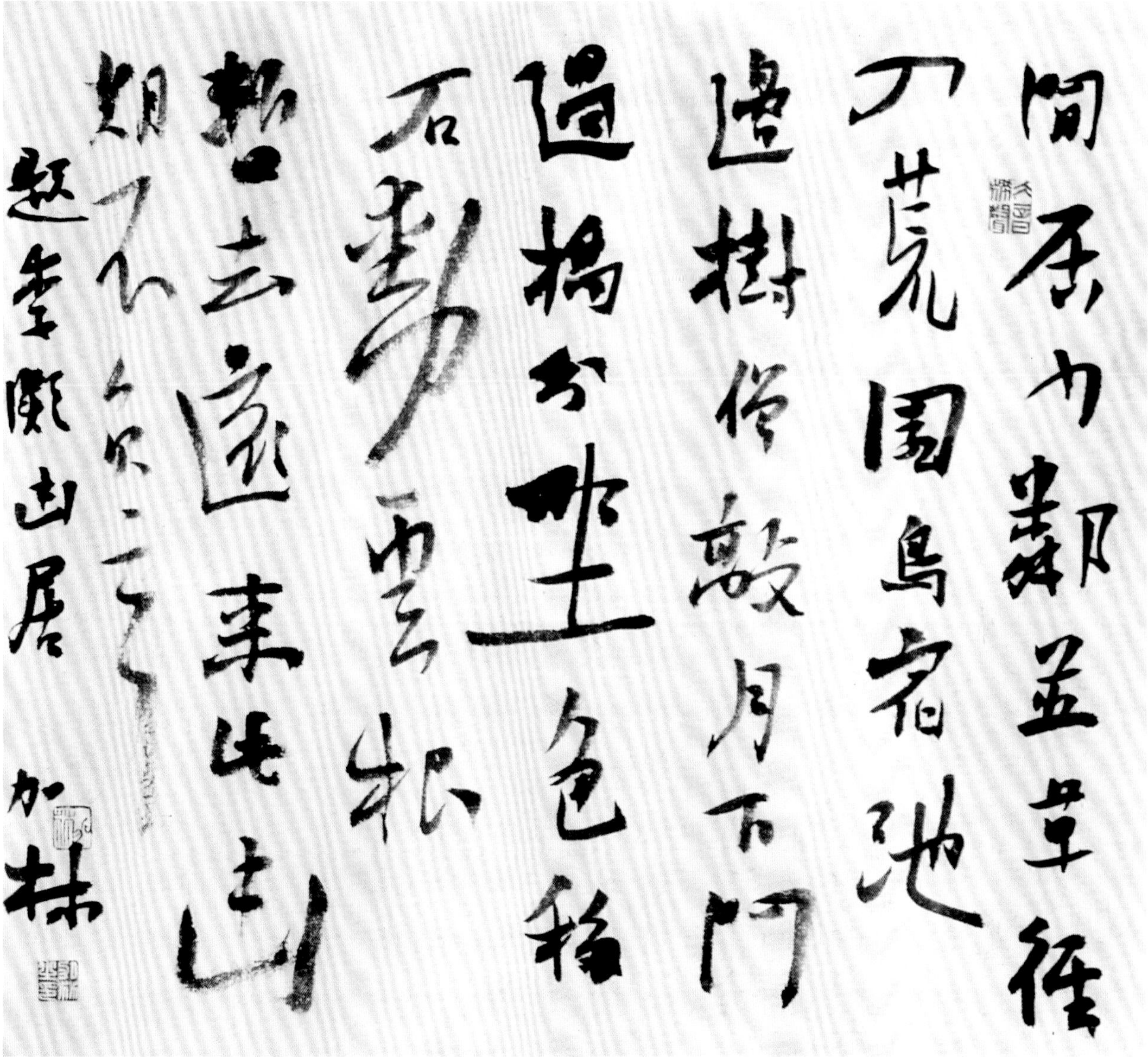

闲居少邻并，草径入荒园。
鸟宿池边树，僧敲月下门。
过桥分野色，移石动云根。
暂去还来此，幽期不负言。

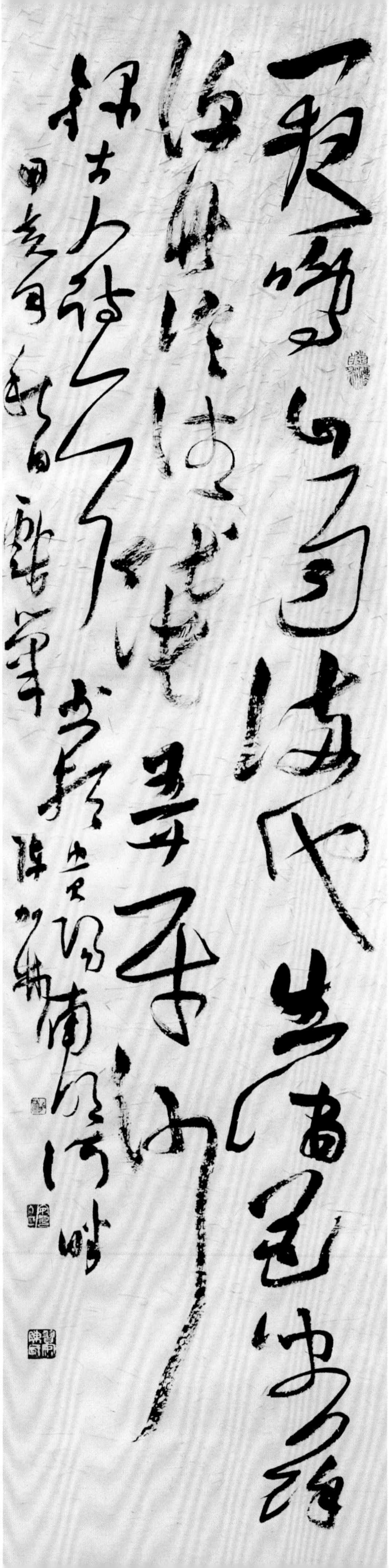

一夜鸣山雨，满池生涧花。
坐余深竹冷，清浅弄平沙。

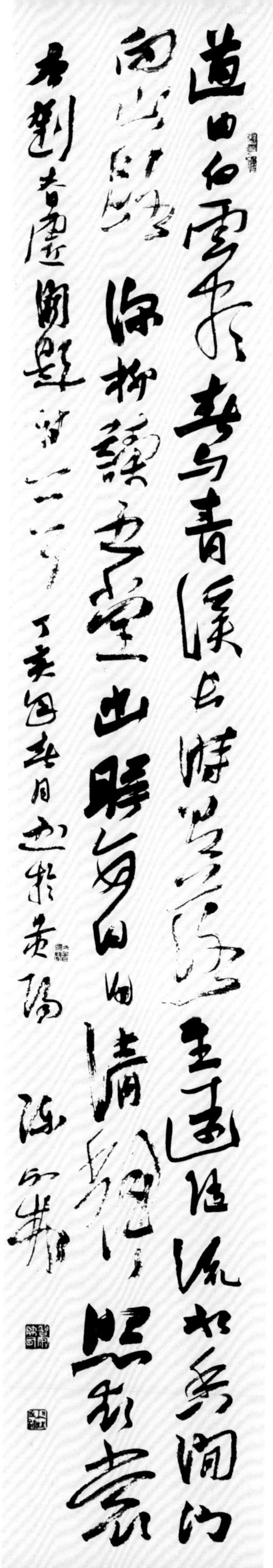

道由白云尽，春与青溪长。时有落花至，远随流水香。闲门向山路，深柳读书堂。幽映每白日，清辉照衣裳。

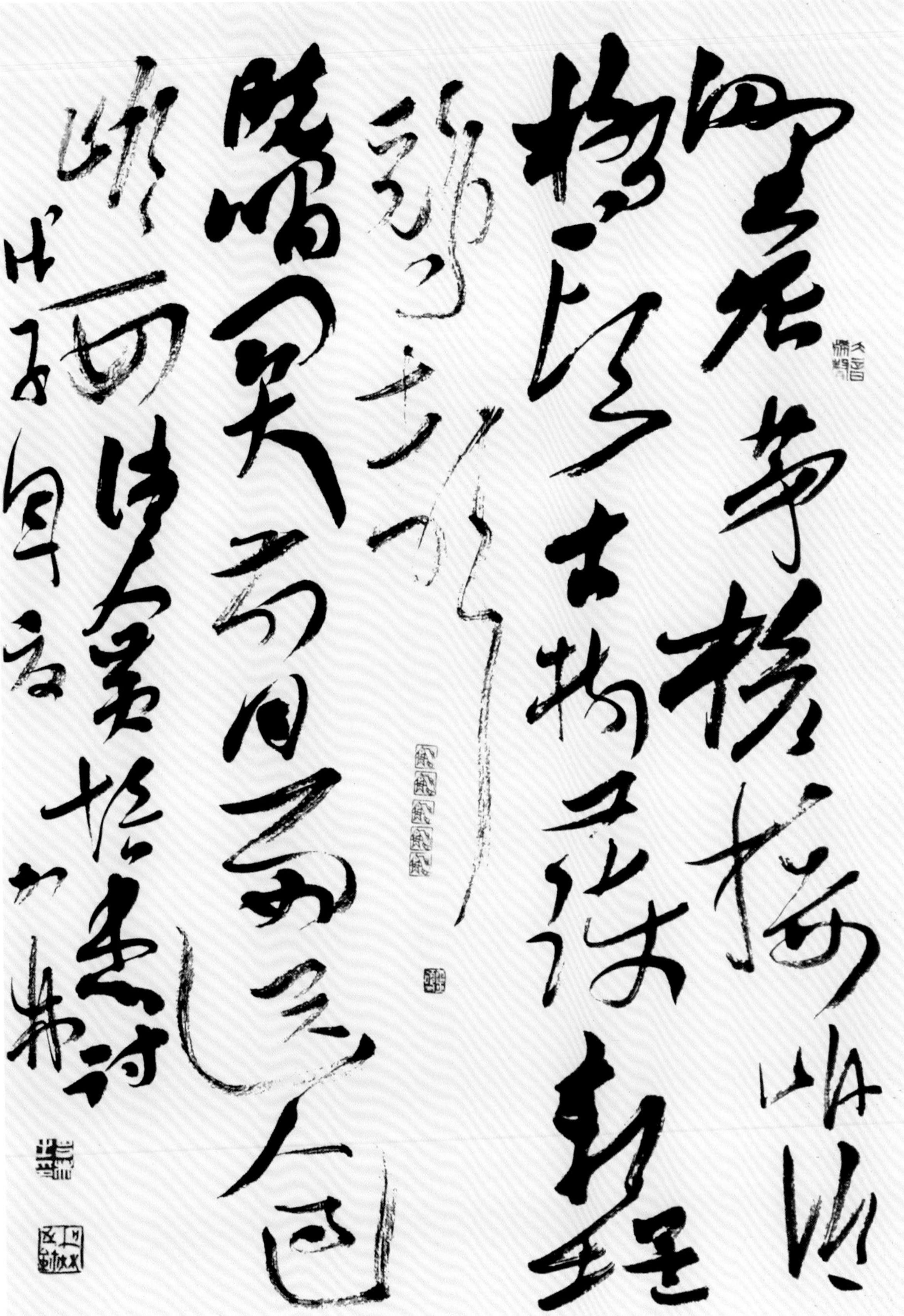

野店茅檐接岸低，桥头古树护新堤。
鸡声晓唱关前月，好送征人过岭西。

作品局部

意临王羲之丧乱帖・二谢帖

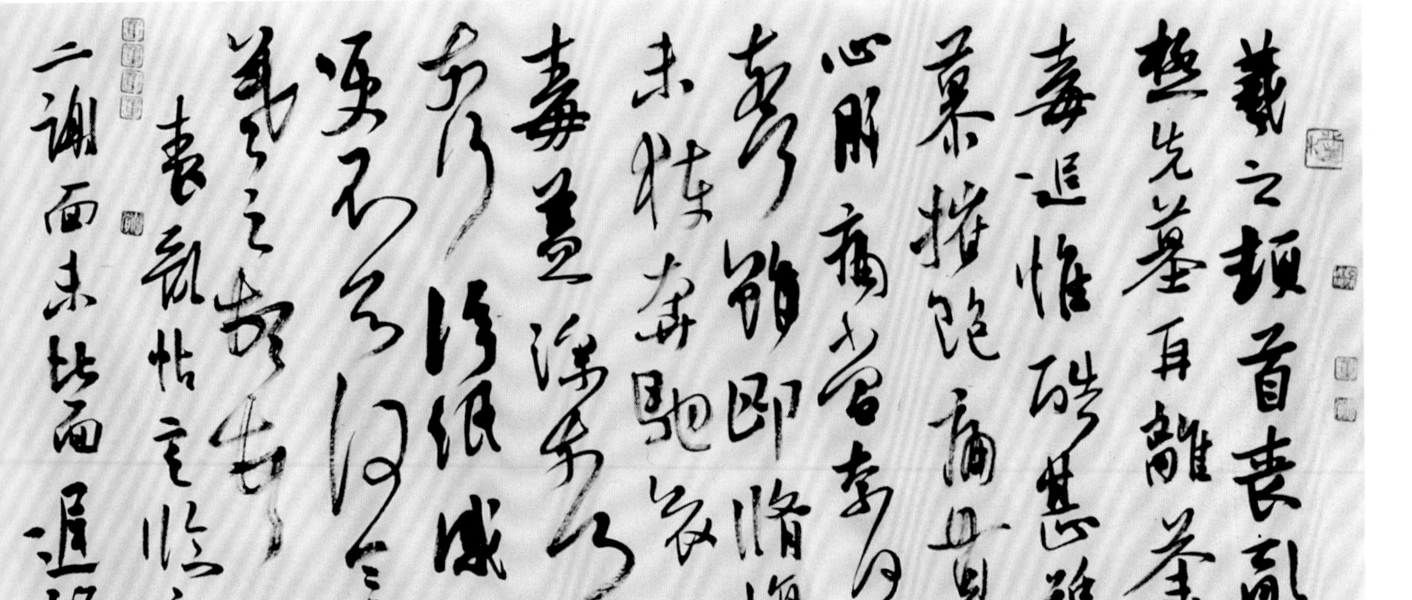

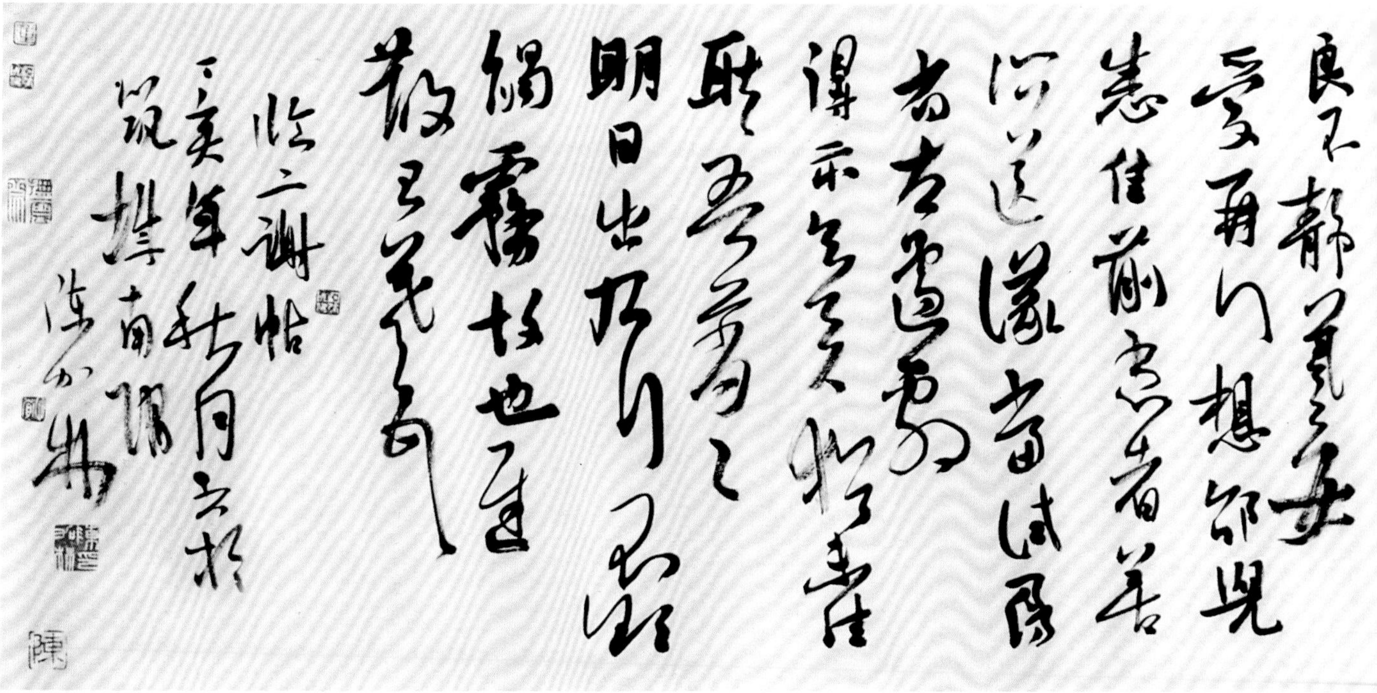

神工鬼斧琼宫起，飞瀑鸣雷水战酣。
持较山川龙虎气，黔南终许胜江南。

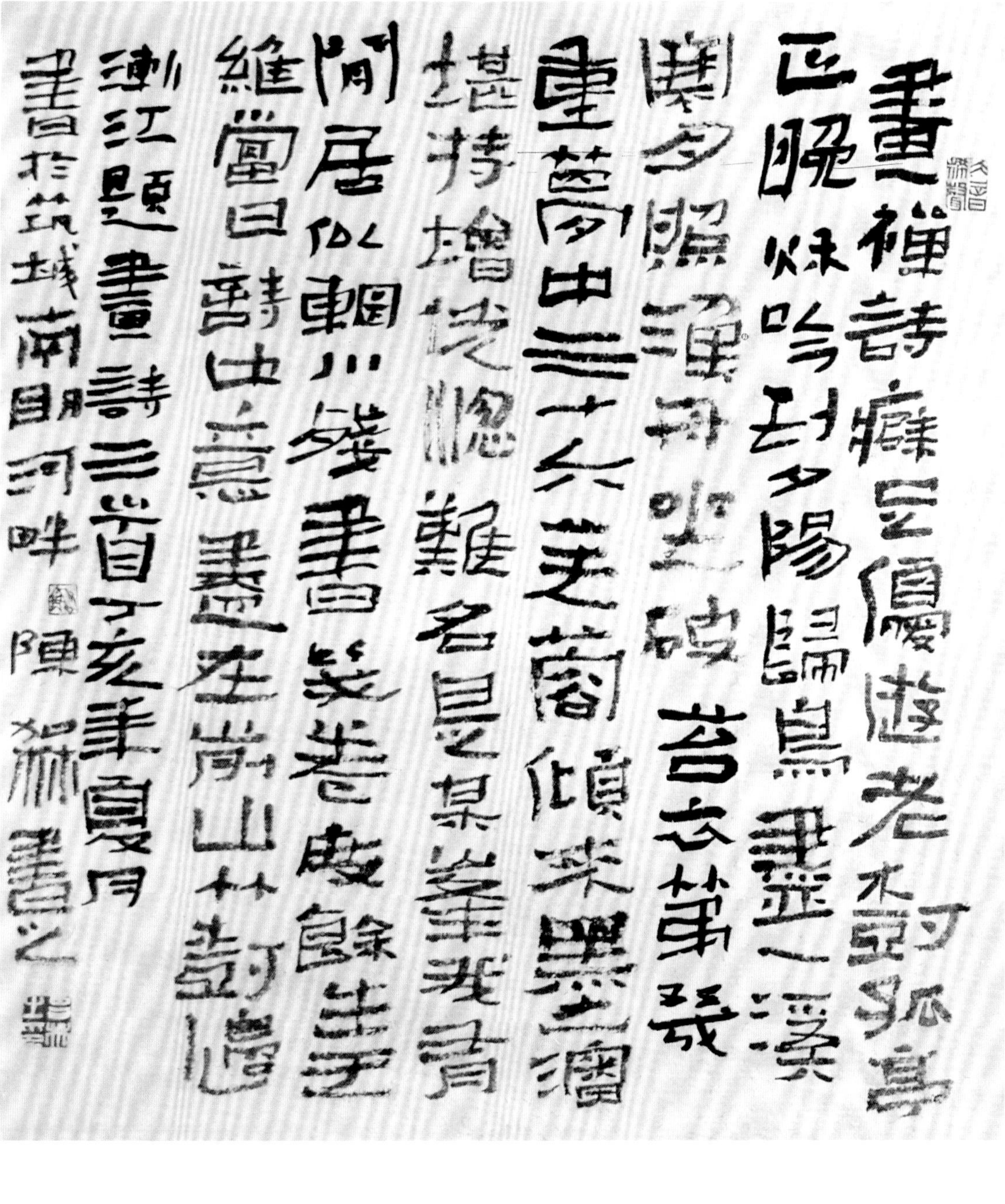

画禅诗癖足优游，老树孤亭正晚秋。吟到夕阳归鸟尽，一溪寒月照渔舟。
坐破苔衣第几重，梦中三十六芙蓉。倾来墨汁堪持增，恍惚难名是某峰。
我有闲居似辋川，残书几卷度余生。王维当日诗中意，尽在前山竹树边。

石磴连云暮霭霏，翠微深杳玉泉飞。
溪回寂静尘踪少，惟许山人共采薇。

远山苍翠近山无，此是江南六月图。
一片雨声知未罢，涧流百道下平湖。

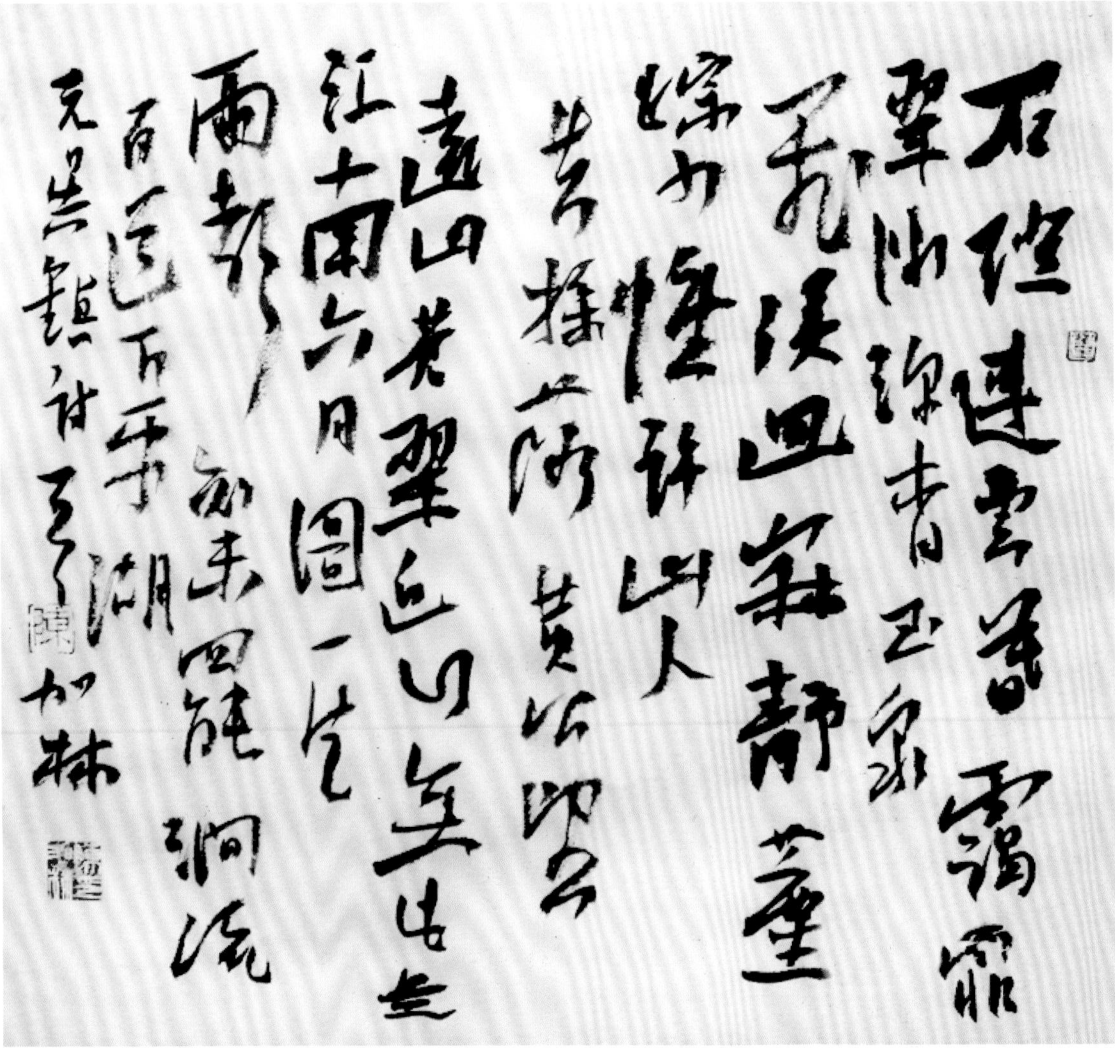

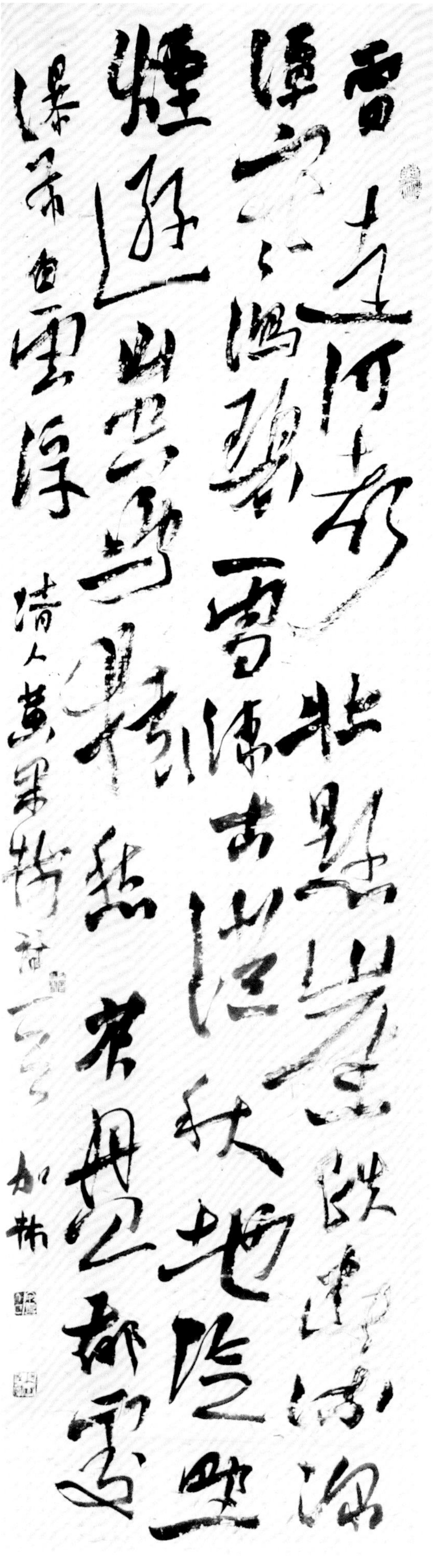

雷走河声壮，悬崖跌断流。深潭寒泻碧，雪练古澄秋。地险野烟逊，山空鸣猿愁。苍苍盘郁雾，瀑布白云浮。

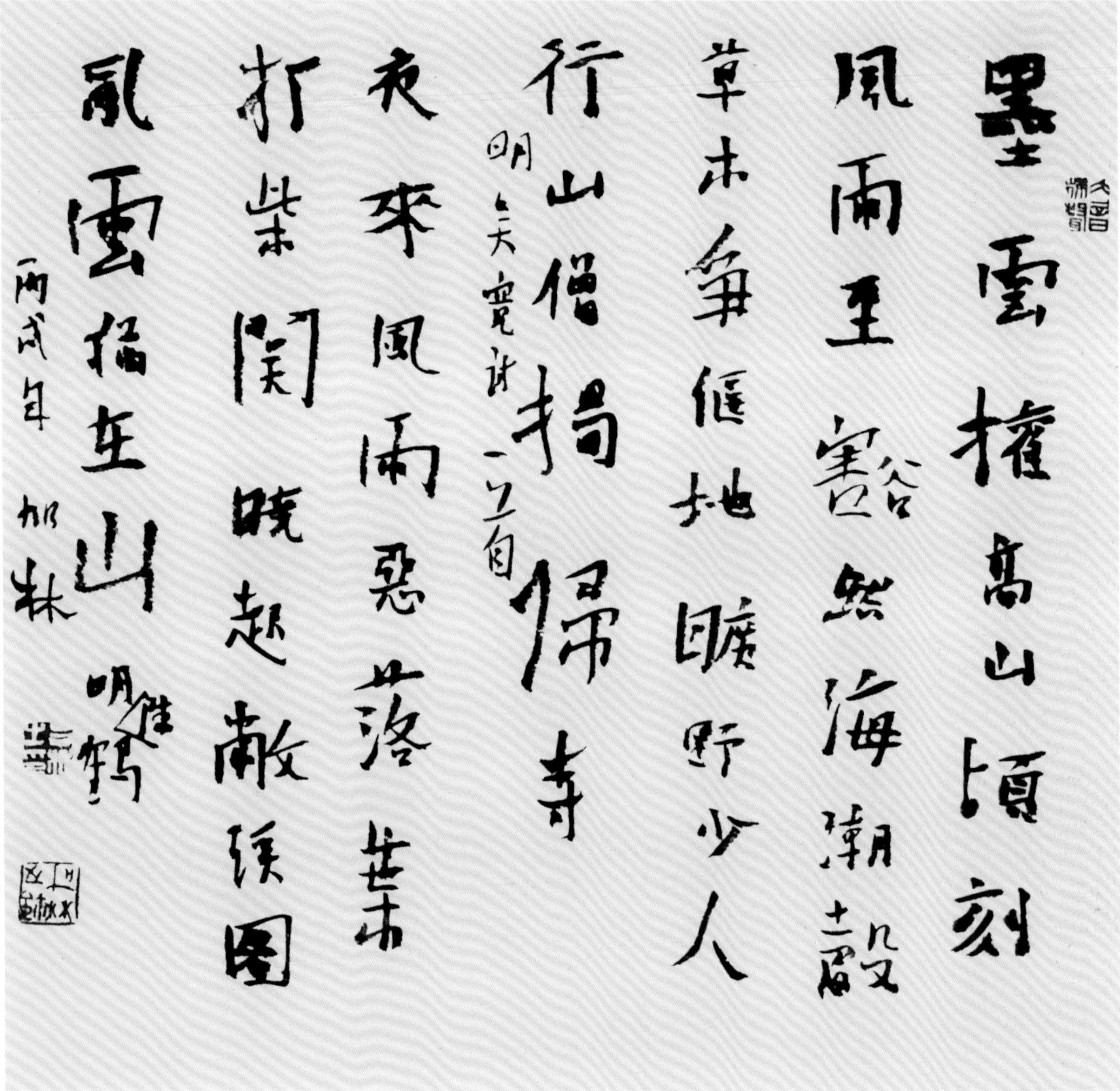

墨云拥高山，顷刻风雨至。
豁然海潮声，草木争偃地。
旷野少人行，山僧独归寺。

夜来风雨恶，落叶打柴关。
晓起敞溪阁，乱云犹在山。

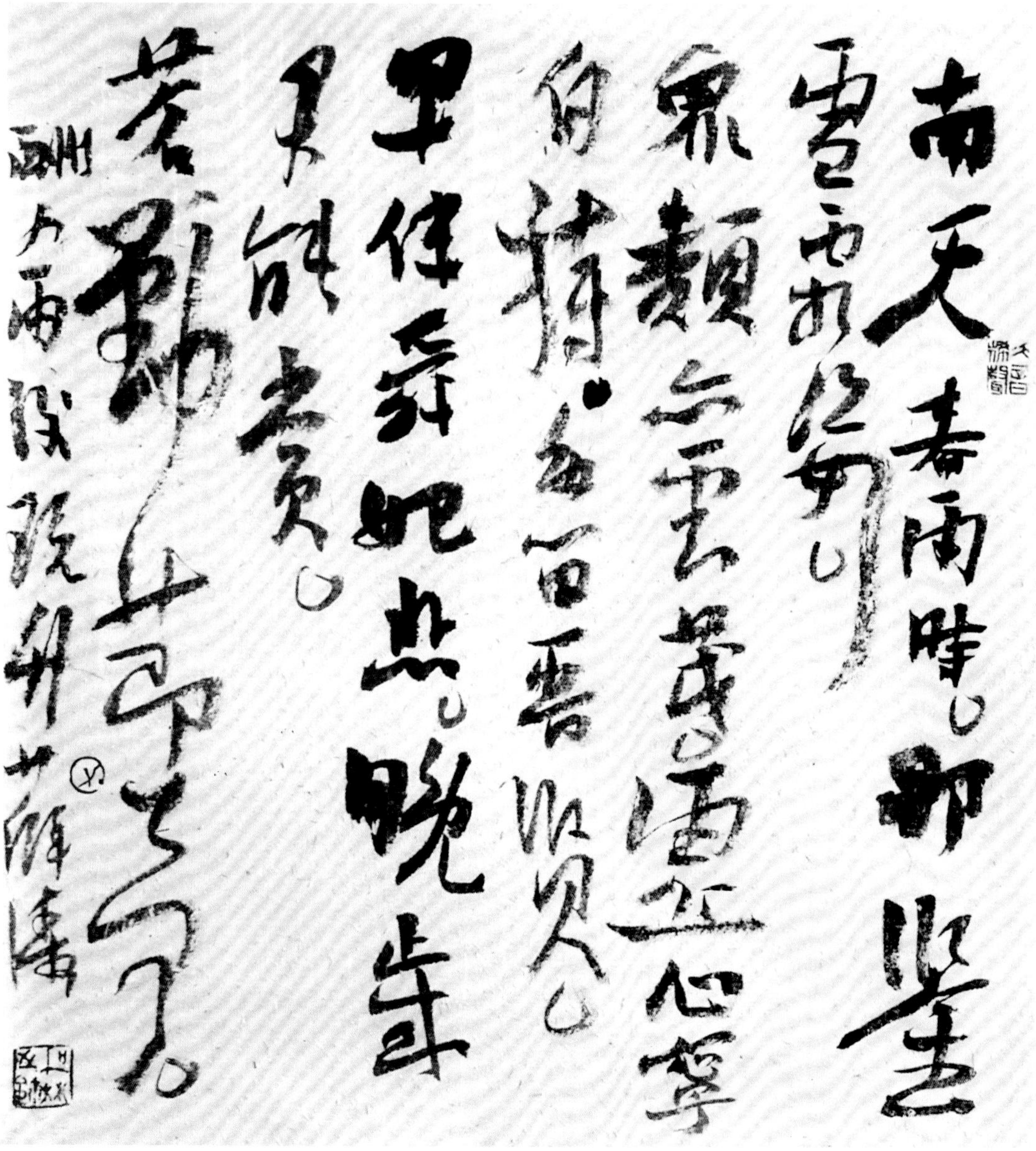

南天春雨时，那鉴雪霜姿。
众类亦云茂，虚心宁自持。
多留晋贤醉，早伴舜妃悲。
晚岁君能赏，苍苍劲节奇。

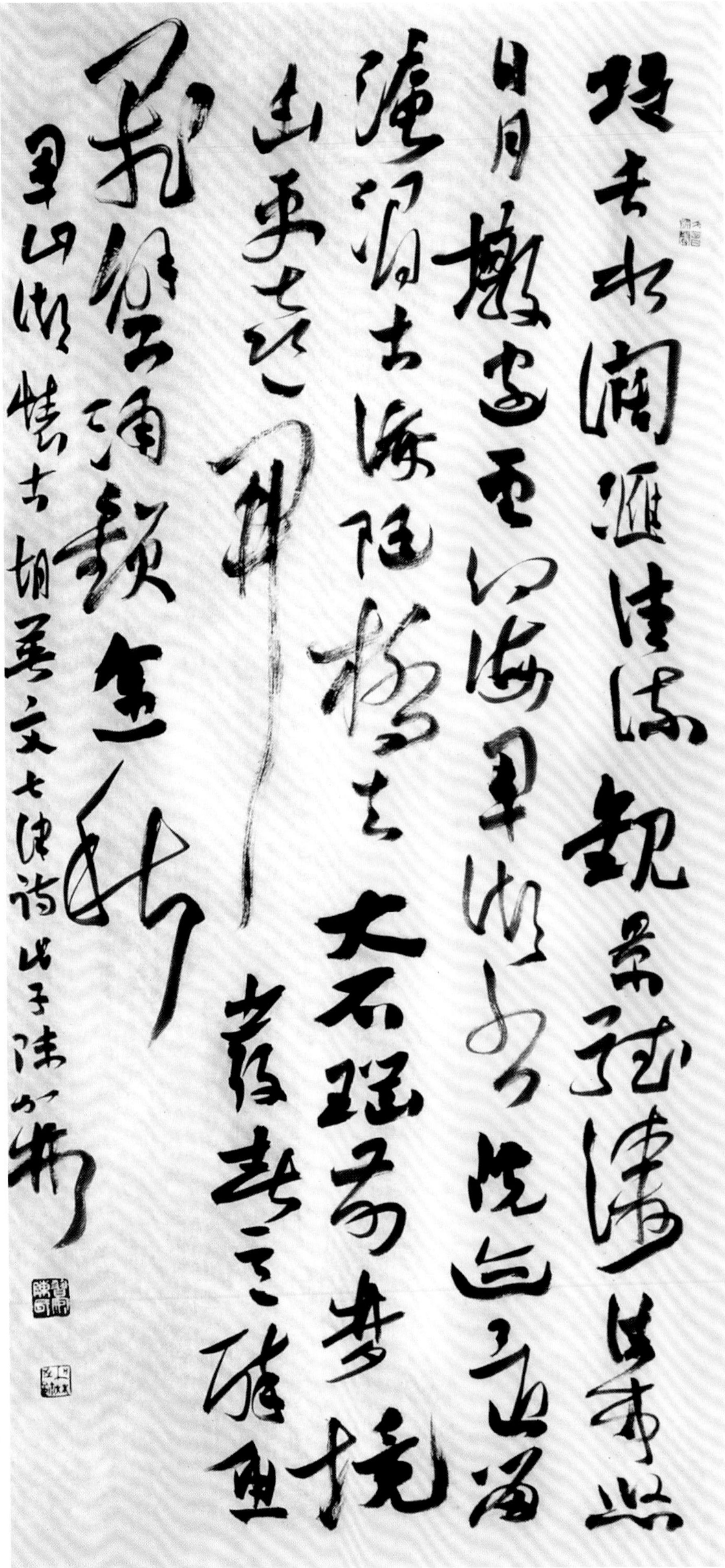

堤长水阔汇清流，观景听涛往事悠。
日月墩边云似海，军湖书院迹还留。
沪浔古渡随桥去，大石瑶前梦境幽。
更喜开发春意醉，鱼飞蟹涌锁金秋。

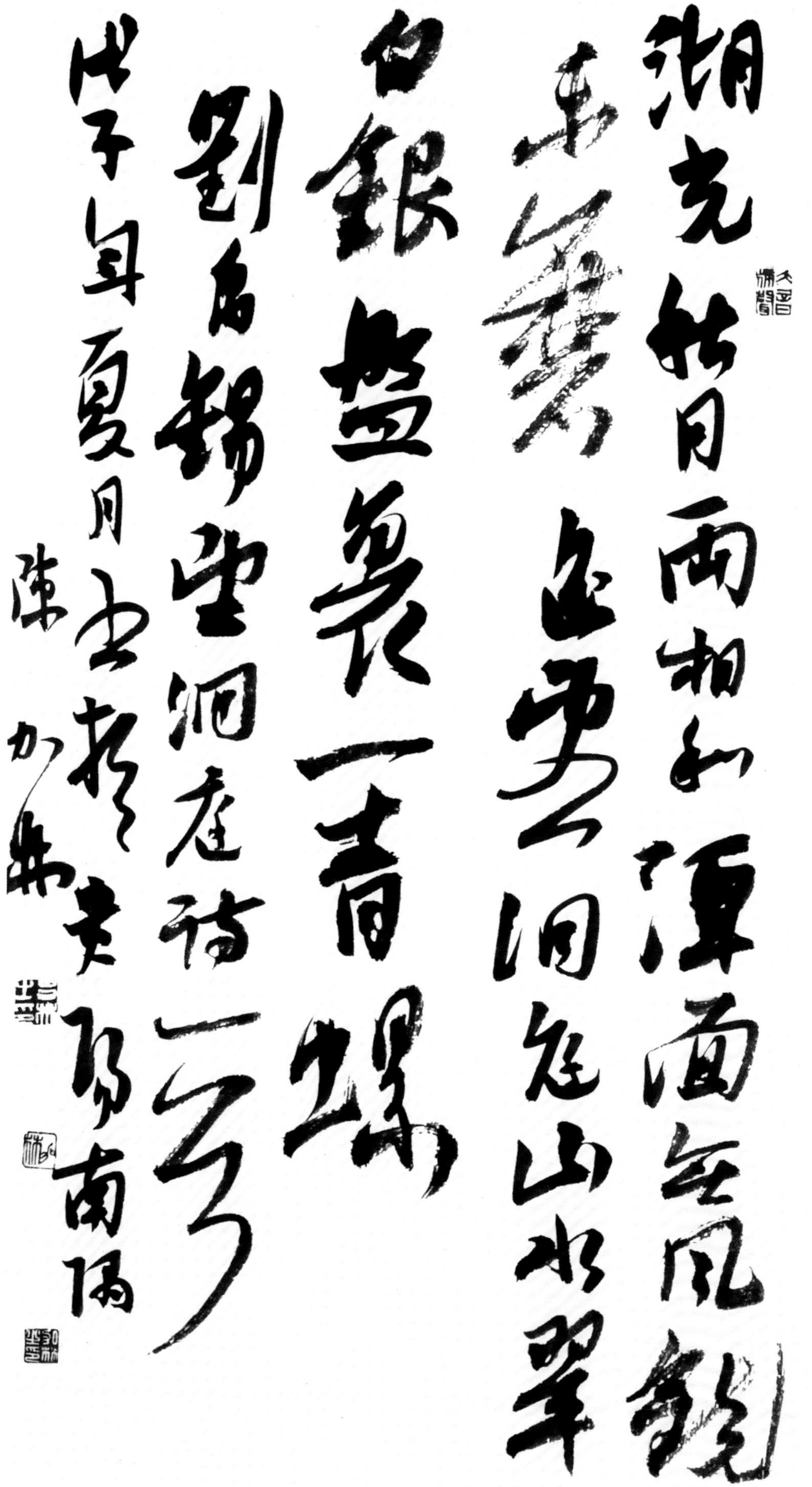

湖光秋月两相和，潭面无风镜未磨。
遥望洞庭山水翠，白银盘里一青螺。

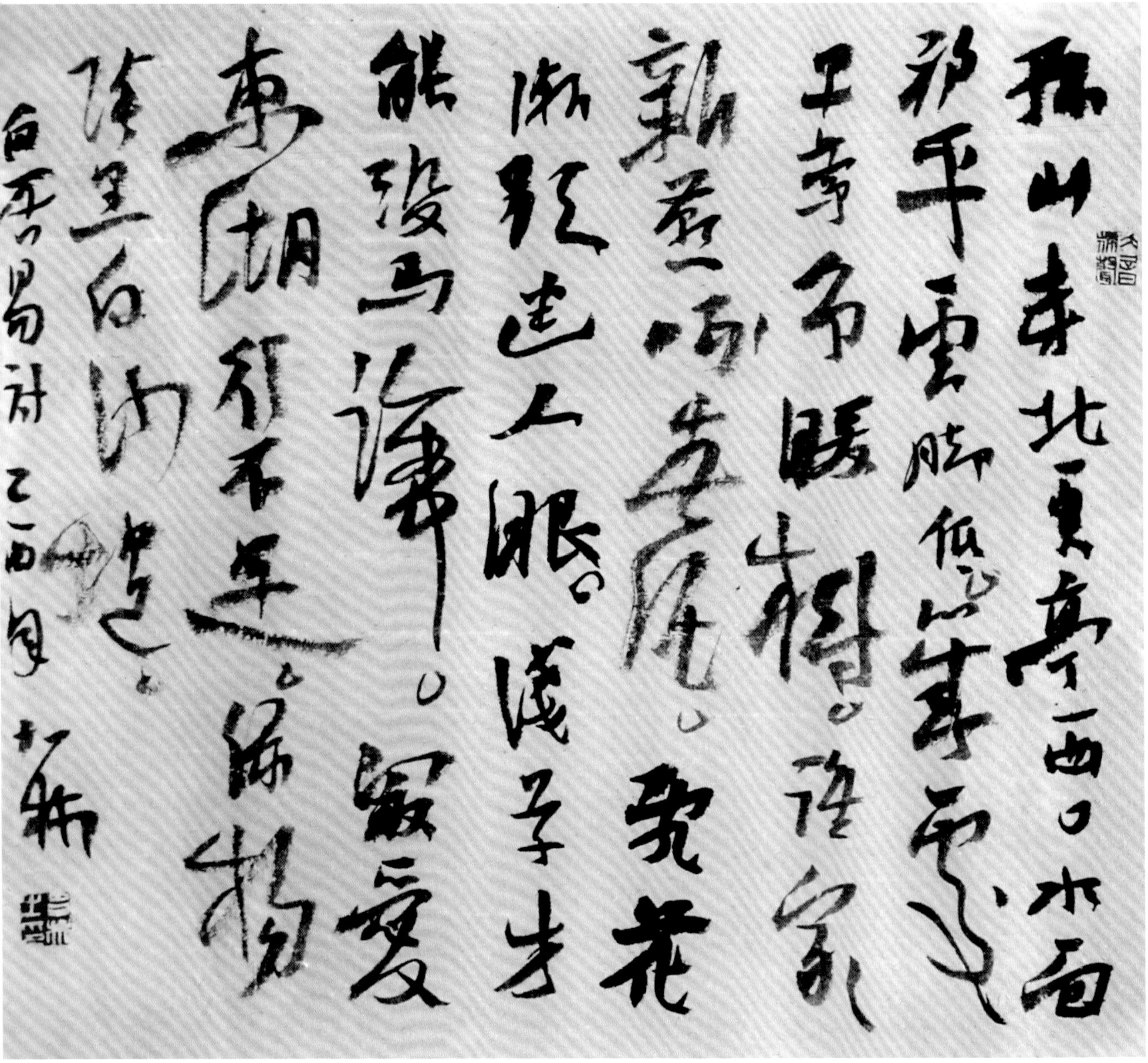

孤山寺北贾亭西，水面初平云脚低。
几处早莺争暖树，谁家新燕啄春泥。
乱花渐欲迷人眼，浅草才能没马啼。
最爱湖东行不足，绿杨阴里白沙堤。

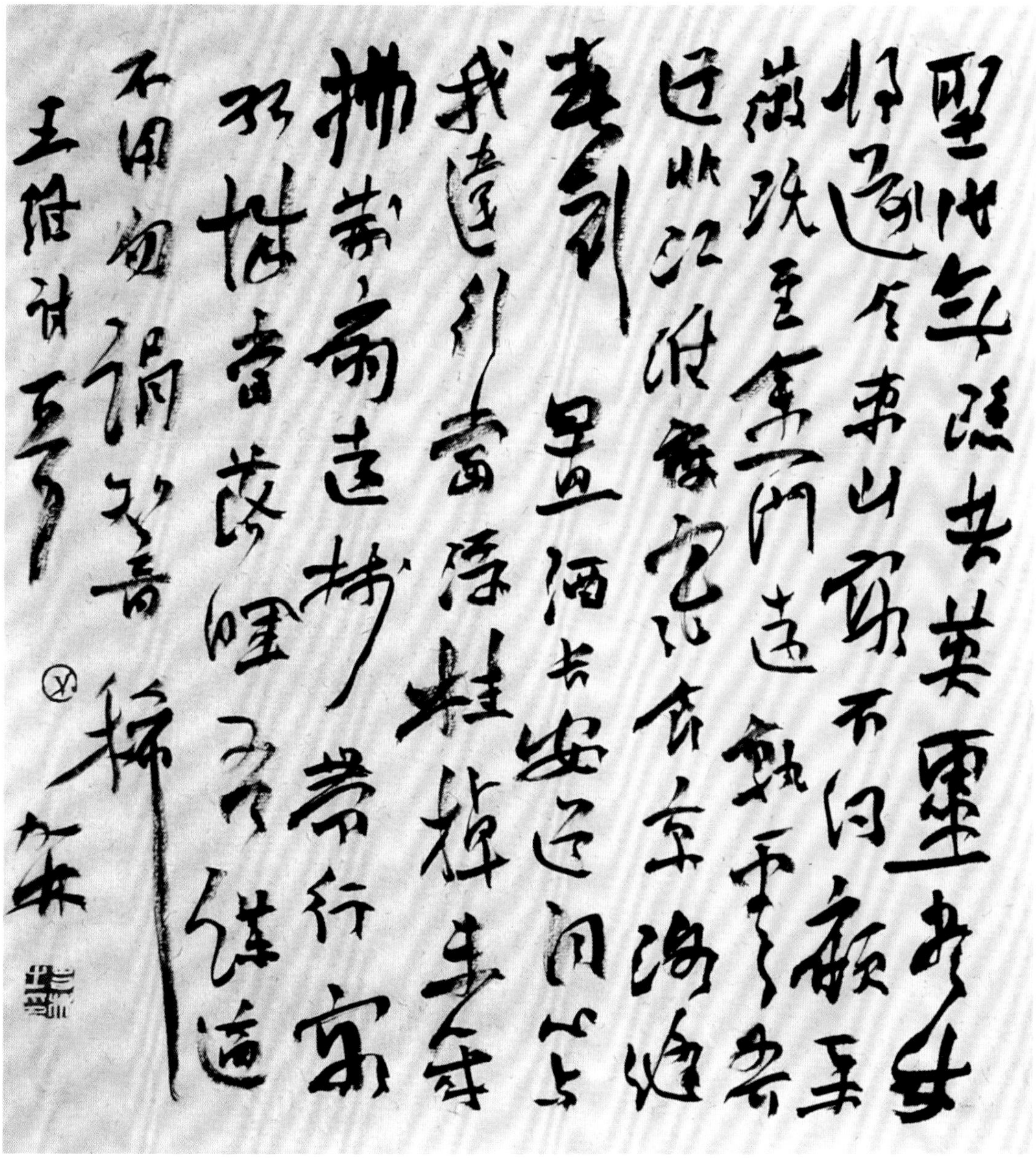

圣代无隐者，英灵尽来归。遂令东山客，不得顾采薇。
既至君门远，熟云吾道非。江淮度寒食，京洛缝春衣。
置酒临长道，同心与我违。行当浮桂棹，未几拂荆扉。
远树带竹客，孤城当落晖。吾谋适不用，勿谓知音稀。

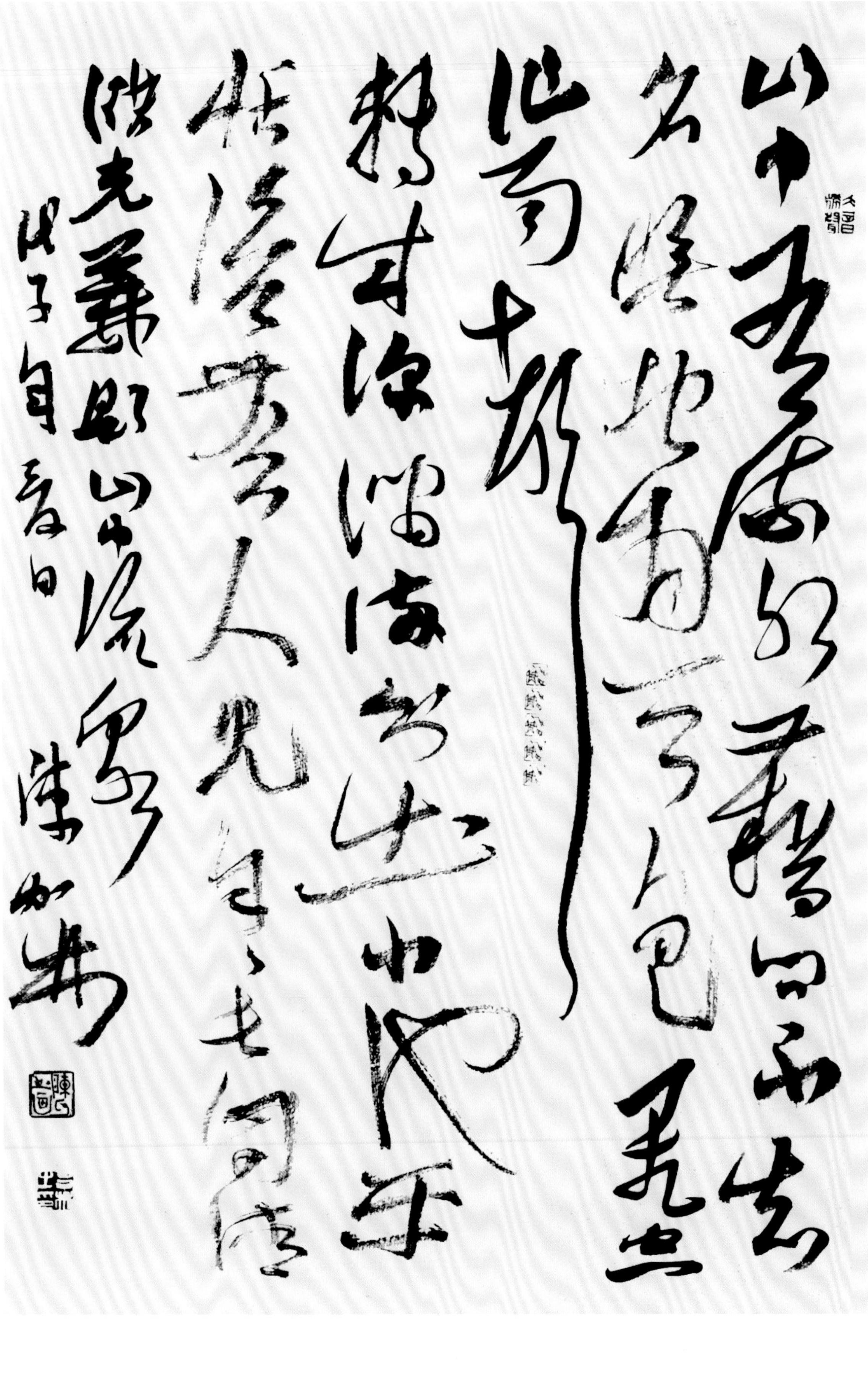

中山有流水，藉问不知名。
映地为天色，飞空作雨声。
转来深涧满，分出小池平。
恬淡无人见，年年长自清。

古辞唯君用
新史有内传

远上寒山石径斜，白云生处有人家。
停车坐爱枫林晚，霜叶红于二月花。

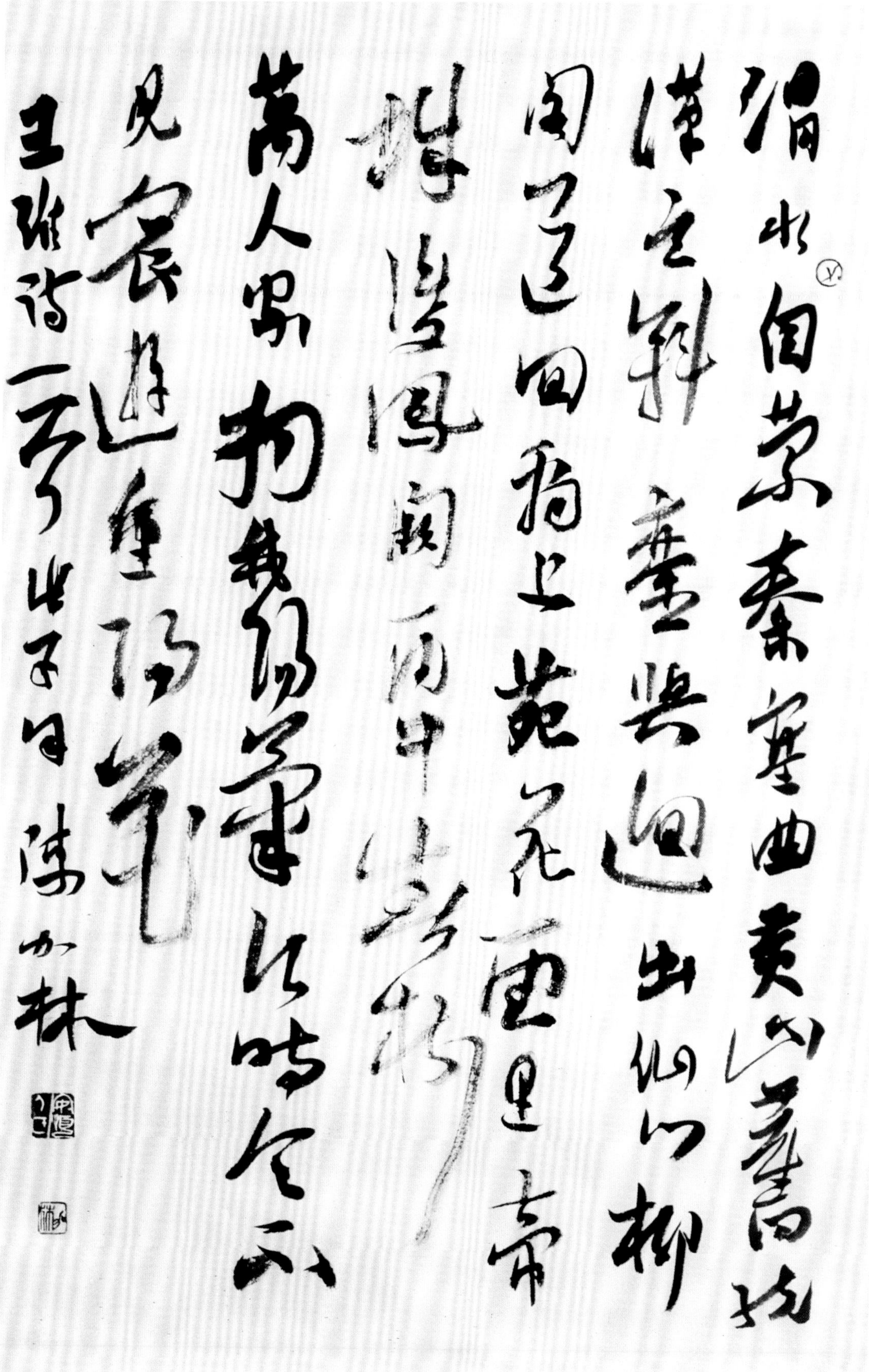

渭水自萦秦塞曲，黄山旧绕汉宫斜。
銮舆迥出千门柳，阁道回看上苑花。
云里帝城双凤阙，雨中春树万人家。
为乘阳气行时令，不是宸游重物华。

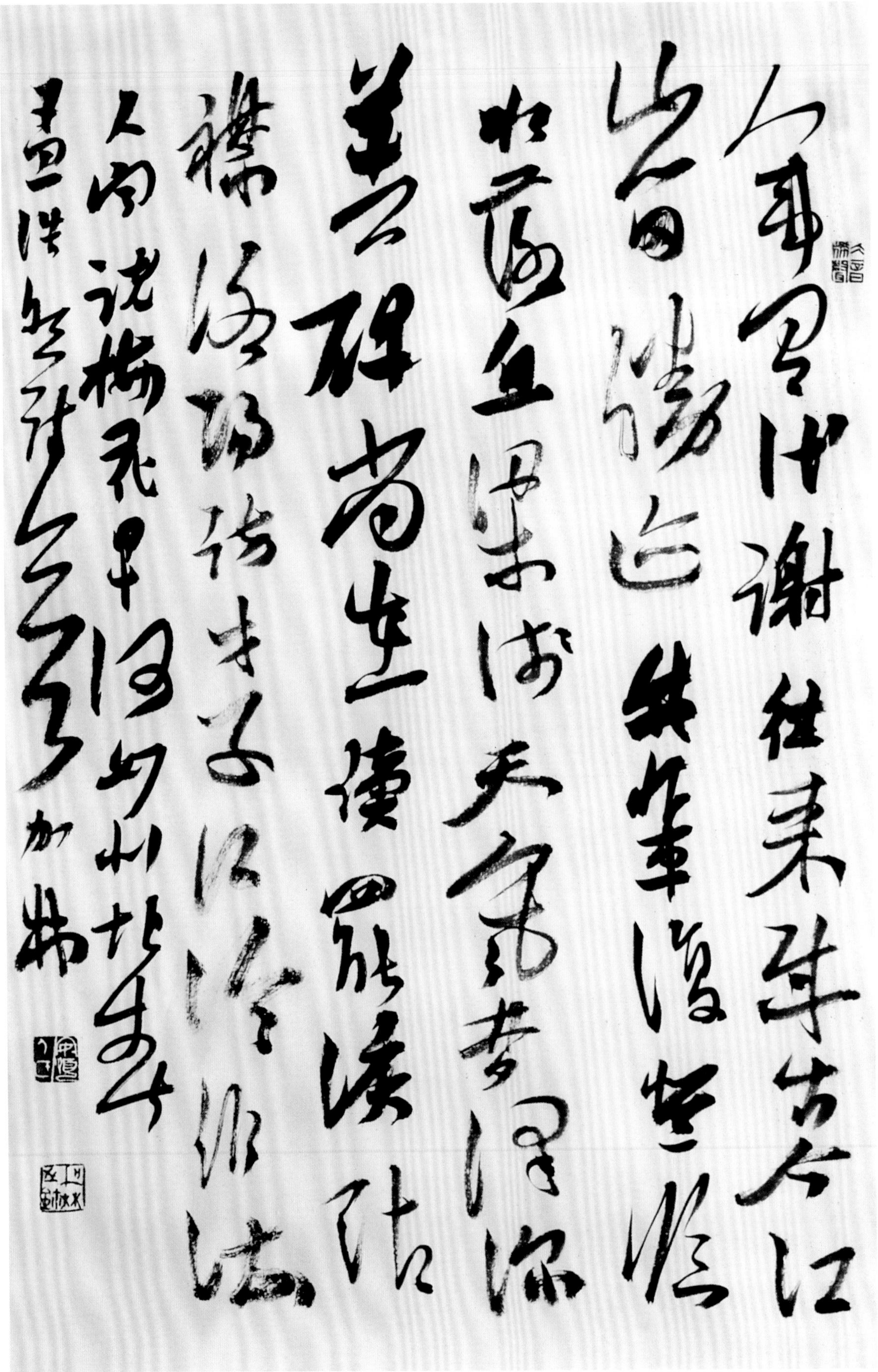

人事有代谢，往来成古今。江山留胜迹，我辈复登临。
水落鱼梁浅，天寒梦泽深。羊公碑尚在，读罢泪沾襟。
洛阳访才子，江岭作流人。闻说梅花早，何如此地春。

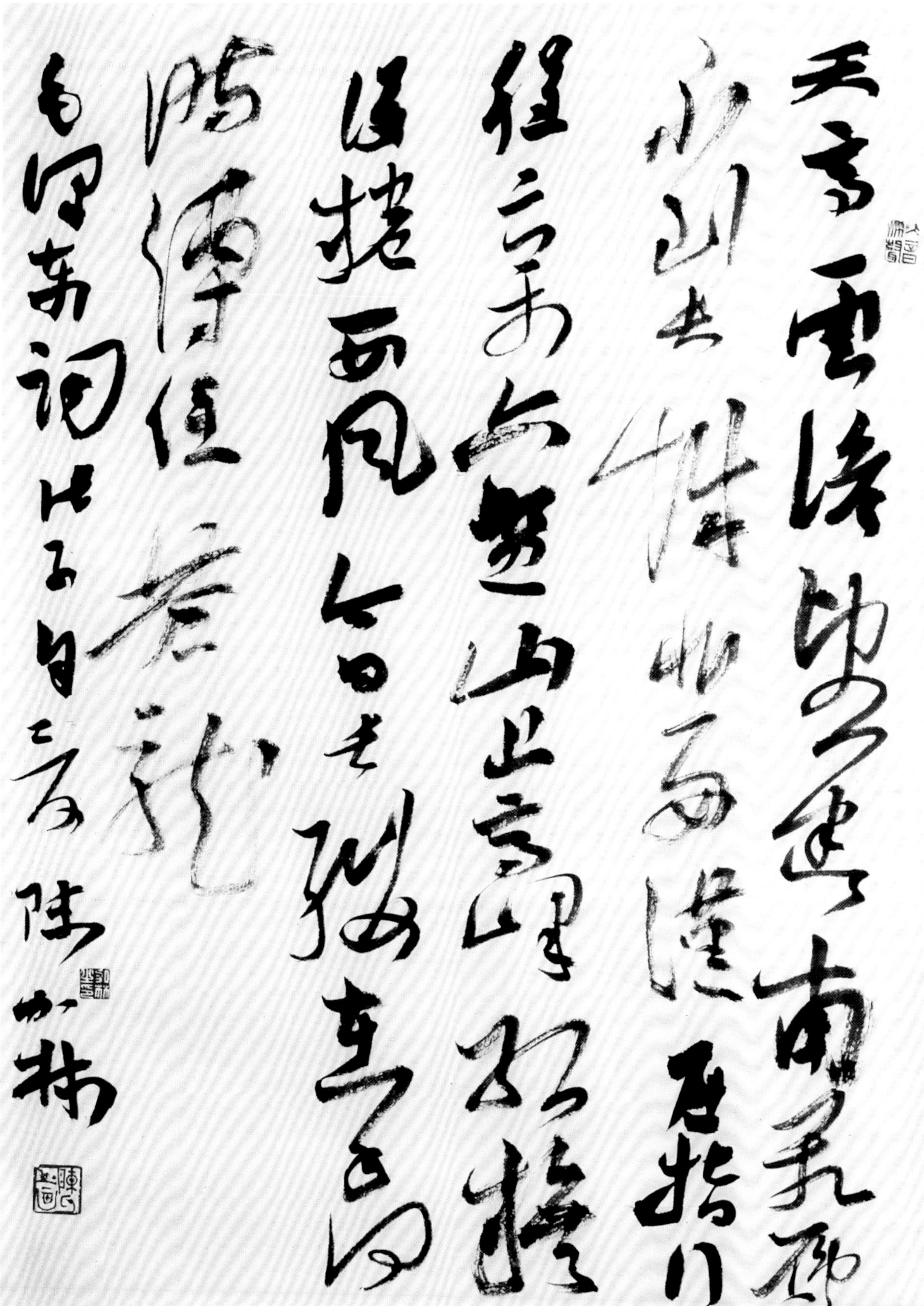

天高云淡望断，南飞雁。不到长城非好汉，屈指行程二万。六盘山上高峰，红旗漫捲西风。今日长缨在手，何时缚住苍龙？

一石居呓语

陈加林

前些年友人相赠一奇石，自低凸显黑色部分，尤似米芾『第一山』之『一』字。珍之若宝，把它置于居室最显眼处，晨昏相对颇得暇思，其石若浮雕，其力拔沉、厚、横扫之势，神韵酣畅，其间蕴含了书法提按顿挫韵致。往往在不经意瞟上几眼，且有醒目怡心，荡涤澄怀，思绪萦素之功效，静而观之，由此生发出或虚静或安顿，或壮美，抑或是秃势、凸突、力沉……使人陷入静照玄中，意象万千，因石得缘，加之难得『一』字奇石，常常是我在书法作品创作中的灵感来源，精神飘浮于『事处有远致，不沾滞于物，思绪之中，『一』寓诸多万事万象众说纷纭，如老子的：『道生一，一生二，二生三，三生万物，以及天得一以清，地得一以宁，神得一以灵，谷得一以盈，万物得一以生。』有天地归一，浑元抱一宇宙混沌之象。这是道家思想对书法艺术创作影响至深。石涛有『一画』之论（从一画到万画）与之一脉相承，自觉不自觉的走到了纯美的非功利的艺术境地。因此给自己的寒舍命名了『一石居』除了据有的奇石可供赏心悦目之外，更多了几分文化的蕴含。

书法艺术在中国文化中堪称奇葩，把它说成是艺术中的艺术不为过，就其在一根线的表达与表白中，承载了无数文化的信息和人生命信息，是一种精神外化形式与性灵的写照，由技而道，技道合一，无法至有法有法至无法的有限与无限过程，同时又是理趣、意趣、道趣的万有之象，应该说韩愈的『喜怒，窘穷，忧悲，愉快，怨怀，思慕，酣醉，无聊，不平，有动于心……』虽是情结尽显其中，不妨这是心物化一的精神飘扬之处，究其书法艺术技的层面而言，不外笔、墨、章法三者的合一，而就『道』而论更具万法归一之气象。

黄宾虹总结的笔法五要：『平、圆、留、重、变』，古人也有锥画沙、折钗股、屋漏痕之说，再如有『八面出锋』『字有八法』，墨有五色：干、湿、浓、淡、枯。章法的论述亦有：宽可走马、密不缝针、计白当黑、计黑白等颇多论述。这三者应用精当，往往是构成书法艺术作品格调高低以及作品好坏的评判。

然而，如何向古人（传统）借鉴、学习、取舍，这是每个人情趣、性灵、品格、学养、心绪所决定的审美取向，这在每个人的一生中，在年龄阶段所反映出来的审美取向不迥相同，艺术靠参悟，这与以上说的『道』的觉悟紧密相联，每个人个体有差别，因之也才有了蔚为壮观的各种书法风格，构成了书法艺术风格的历史。

我常想，颜真卿『夫草书于师授外，须自得之，张长史睹孤蓬，惊沙之外，见公孙娘剑器舞，始得低昂回翔之状。怀素观夏云奇峰，辄尝之。』『与其师人，而不若师造化。』这主客体相得益彰，灵感的获得，若缺失学养与洞察力及想像力是不可以为之的。书法是入乎于技又出乎技外，囿之于法而又超乎于法的，即所谓道器的表象，灵俯之象，笔外之趣，墨外之韵，象外之象。『外师造化，中得心源。』正是当下每个书家，如戴明贤先生所说：现代人『尚备』（晋尚韵，唐尚法，宋尚意……当今人应『尚备』）纳一切艺，一切技，化为我有，兼收并蓄，储备进发，纳万象于胸中，感物于心，意到笔从，出心声心画，才能至臻至善。

『不激不励，风归自远』（孙过庭语）『耕种有时息，行者无问津。』（陶渊明语）前路正远，艺道无穷。『一』石之启示良多，是为呓语。